東西文明比較互鑑

秦―南北朝時代編

著 潘岳

訳 脇屋克仁・他

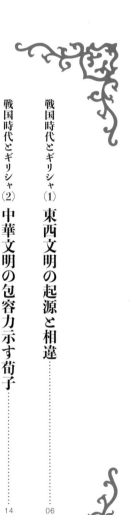

※本文中の〔 〕は翻訳者による補註。

戦国時代とギリシャ

戦国時代とギリシャ⑴　東西文明の起源と相違

似通った歴史的状況で異なる結果

今日、東洋と西洋は再び相互理解の岐路に立っている。

現代文明の中には古代文明の精神的な遺伝子が含まれている。欧米と古代ギリシャ・ローマ文明、イスラム世界とアラブ文明、イランとペルシャ文明、ロシアと東方正教会文明、イスラエルとユダヤ文明、東アジア国家と中華文明のように、さまざまな関係がさまざまな遺伝子をつなぎ合わせ、さまざまな道に変化してきた。

現代の欧米文明は自分たちの政治秩序について、古代ギリシャ・ローマ文明、キリスト教文明、工業文明のエッセンスを一体化させたものだと考えている。

このうち最大の源は古代ギリシャ文明だ。一方、中日韓を代表とする東アジア文明は中華文明の遺産の上に打ち立てられている。中華文明の強固な形態は秦・漢で確立し、変化の鍵は戦国時代にあった。

紀元前5~前3世紀、中国の戦国時代と古代ギリシャは似通った歴史的状況に直面していた。共に内部で甚だしい戦乱に陥り、戦乱の中で統一の動きが現れた。また、統一運動の積極的な勢力は共に中心的国家ではなく、軍事的に強大な周辺国だった。多くの知識人が統一運動のために奔走し、大量の哲学、政治、道徳の命題を提起した。

しかし、統一運動の結果は異なっていた。ギリシャではアレクサンドロス大王の帝国が成立し、わずか7年で分裂した。その後、3大後継者が王国内で100年間争い、一つずつローマにのみ込まれた。一方、中国の戦国時代は「大一統」の秦王朝を形成した。14年後に崩壊したが、すぐにまた大一統の漢王朝が興った。秦漢の制度は歴代王朝に受け継がれ、2000年余り続いた。

似通った歴史的条件の下で異なる結果が現れたのは、文明の本質的な性質が異なっていたからだ。

「天下」全体にこだわる中国

湖北省雲夢《うんぼう》県で1975年12月、秦代の法律を記した竹簡群「睡虎地秦簡《すいこちしんかん》」が出土した。法家の竹簡の山からは意外にも儒家精神のあふれた官吏養成教材「為吏之道」が見つかった。「寛俗にして忠信、悔過して重ぬることなく、和平にして怨みなく、下を慈《いつく》みて陵《おか》すことなかれ。上を敬して犯すことなく、諫を聴きて塞ぐことなかれ」。これは決して特別な例ではない。王家台秦簡、岳麓書院蔵秦簡、北京大学蔵秦簡にも似通った文言があり、秦朝後期にはもう完全に儒家を排斥していなかったことを示している。

秦国だけでなく、ほかの六国も同様だった。秦国に限られていたと一般的に考えられている法家制度と丁寧な農業は、実際には魏国の発明だった。自由でまとまりがなかったと一般的に考えられている楚国は、秦国より早く「県制度」を実行していた。商業が発達していたと一般的に考えられている斉国は、その宰相・管仲《かんちゅう》の著書と伝えられる『管子』の中に秦と似通った「保甲〔行政の末端組織〕の連座」の要素も含んでいた。

儒家と法家を織り交ぜ、刑罰と徳化を共に用いることが戦国時代末期の全体的な潮流だったことが分かる。各国の政治観念の基準線は「一つの天下」だった。誰も小さな地域を分けて統治することに甘んじず、完全な天下を奪取しようとした。統一が必要なのかどうかを争ったのではなく、誰が統一するかを争った。「天下」全体に対する執着は、中国の歴代政治家集団の最も独特な部分だ。

思想家たちもそうだった。人々は百家争鳴の「争」だけを重視し、往々にしてその「融」を軽視する。数十年にわたって次々と出土してきた戦国時代の竹簡と帛書《はくしょ》〔絹に書かれた文書〕は、「諸家雑糅〔入り交じる〕」だった史実を証明している。郭店楚墓竹簡からは儒家と道家を同列に扱っていたことが見て取れる。上海博物館蔵戦国楚竹書からは儒家と墨家を同列に扱っていたことが見て取れる。馬王堆帛書からは道家と法家を同列に扱っていたことが見て取れる。「徳」は孔子と孟子の独占ではなく、「道」は老子と荘子の専有ではなく、「法」は商鞅《しょうおう》と韓非《かんぴ》の独り占めではなかった。諸子百家の思想的融合の根本理念とは「統一的な秩序」の確立だ。儒家は「一に定まる」という礼楽〔社会秩序を保つ礼と人心を感化する楽〕の道徳秩序を強調し、法家は「同文同軌〔文字と車輪の幅の統一〕」の権力・法律秩序を強調し、墨家は「尚同〔人々が一つの価値基準に従うことで社会を繁栄させる〕」「一を執る」という社会階層秩序を強調した。極端に自由を強調する道家も同じで、老子の「小国寡民」の上には「天下」と「天下王」もある。荘子も「万物多しと雖も其の治は一なり」と強調した。

戦国時代は思想・制度の鍛錬の場になっていた。秦国の法家は大一統の基礎となる政権で貢献した。魯国の儒家は大一統の道徳秩序で貢献した。楚国の道家は自由な精神で貢献した。斉国は道家と法家を結び付け、無為にして治まる「黄老の術」と、市場によって富を調節する「管子の学」を生み出した。魏・韓は合従連衡《がっしょうれんこう》外交の戦略学で貢献した。趙・燕は騎兵と歩兵を合わせた軍事制度で貢献した。最終的な結果こそが漢朝だ。

大一統は秦が天下を併呑したのではなく、天下が秦を吸収したのだ。

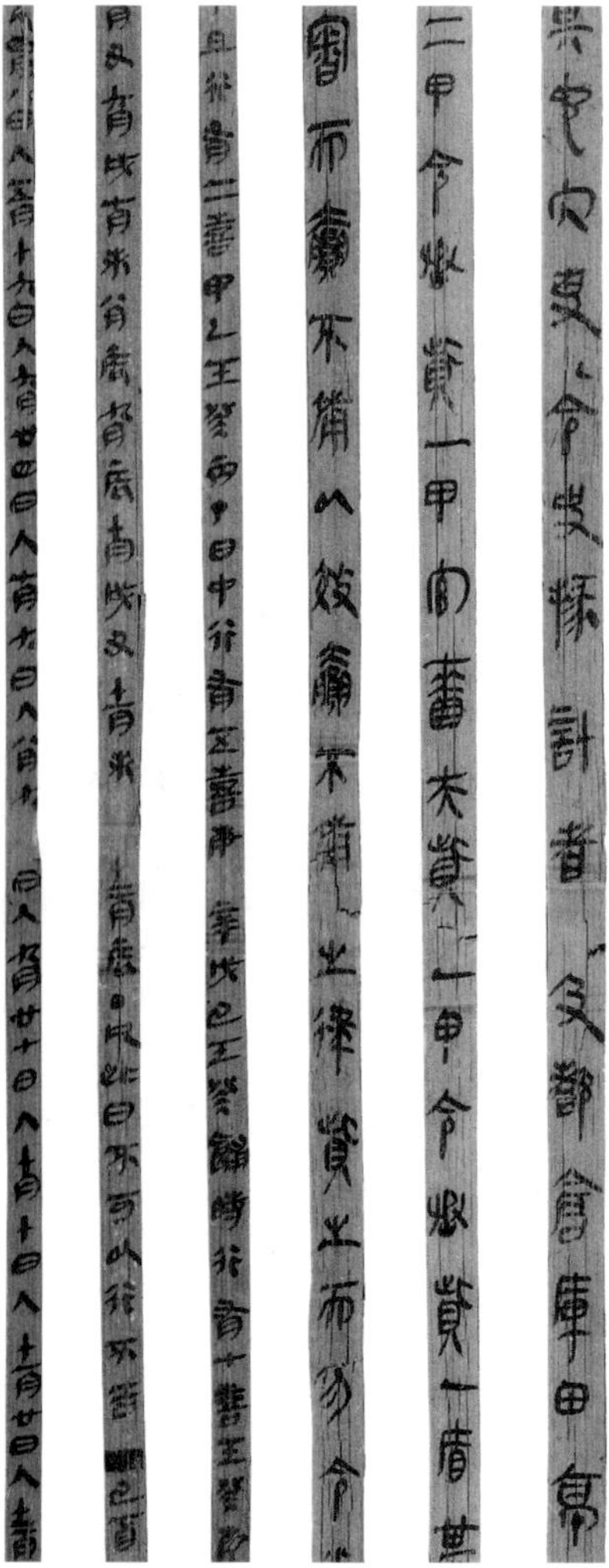

睡虎地秦簡など古代の文献に記載されている内容には、
東アジア文明の遺伝子が含まれている(写真提供：潘岳)

古代ギリシャの神殿建築などの遺跡は、西洋社会の精神的なふるさとだ(写真提供：潘岳)

戦国時代とギリシャ⑵　中華文明の包容力示す荀子

戦国時代最後の50年、志士・謀臣たちは2大流派に分かれていた。函谷関《かんこくかん》〔河南省北西部の関所〕の内側の秦国では法家と縦横家が活躍していた。函谷関の外側の六国では儒家、道家、兵家、陰陽家、名家が活躍していた。斉国の稷下《しょくか》学宮は六国の知識人が集まった場所で、秦国と対峙したもう一つの精神世界だった。この精神世界の領袖こそ、戦国時代最後の儒家の大家で、稷下学宮の祭酒〔学長職〕を3度務めた荀子（紀元前313～同238年）だ。

秦王に「儒」の必要性説く

紀元前269～同262年、荀子は秦を視察した。彼は伝統的な儒家とは違い、秦の政治が暴政だとののしることはしなかった。逆に法家の統治制度を称賛し、末端の役人が忠実、勤倹で、心を尽くして仕事をしていること、高級官吏が賢明で公徳心を持っていること、朝廷の政務処理が効率的で簡潔なことを褒めたたえた。

しかし、荀子はより重要なことも話した。秦国はそうした優位性を持ってはいるが、依然として「王者」の域には達しておらず、その原因は「儒」の欠如にある。ではどうすれば「儒」を備えているといえるのかを考えた荀子は、「威を節して文に反る〔武力を抑えて礼儀の政治に立ち戻る〕」こと、君子を用いて天下を治めることを提案した。これは後世の「王権、士大夫と天下を共治す」のひな型だ。

荀子の認識では、儒家は統一的な道徳秩序を持っているが、統一的な統治体系を確立していなかった。法家は統一的な統治体系を確立できたが、精神的な道義で欠陥があった。もし秦国の法家制度に儒家の賢能政治と信義、仁愛が加われば、将来の天下の正道になれる。

秦王はこの話に取り合わなかった。

数年後の長平の戦いは荀子の話を証明した。秦国は趙軍の投降後、信義に背いて40万人の趙軍を生き埋めにして殺した。たとえ血の雨を降らす戦国時代であっても、これは道義の基準線を踏み越えている。秦国は終始、現実主義と功利主義を頼りとして天下を取ったのであり、仁義と道徳で自ら手足を縛るはずがなかった。力のない道義と道義のない力は、共に目の前の現実に答えを出せない。

西洋人学者が理解しない秘密

長平の戦いの後、荀子は政治を放棄し、本を書いて説を立て、学徒に教え始めた。彼の思想体系は孟子の純粋な儒学と異なっていた。孟子の「天」は勧善懲悪の義理の天で、荀子の「天」は「天行、常有り。堯の為に存せず、桀の為に亡びず」であり、そのために「天命を制して之れを用ふ」必要があった。これは中国で最初期の唯物主義だ。孟子は王道を尊重して覇道を軽蔑したが、荀子は王と覇を併用すべきだと考えた。孟子は義だけを語って利を語らなかったが、荀子は義と利を共に顧みようとした。孟子は「先王の道（古代の君主を理想像とする考え方）」を尊重したが、荀子は「後王の道（現在の君主の政策に従うべきだという考え方）」を尊重した。

荀子は非常に有名な2人の弟子を教えた。1人は韓非で、もう1人は李斯《りし》だ。彼らは学業を終えた後、秦に行って遠大な計画を巡らし、荀子はそのことで悲しんで食事も取らなかった。なぜなら、彼らが儒法を融合させなかっただけでなく、かえって法家を極限まで発展させたからだ。韓非の法家理論は法、術、勢の3大流派を包含していた。一方、李斯は法家の全ての政策体系を設計しており、「焚書坑儒」は彼が提案したものだった。師の荀子が法家の手段を肯定しながらも、終始一貫して儒家の価値観を堅持していたことを彼らは忘れていた。その価値観は、例えば忠義と孝悌の倫理であり、例えば「道に従ひて君に従はず、義に従ひて父に従はず」の士大夫精神であり、例えば政治は王道を根本とし、用兵は仁義を優先するという考えだ。法家と儒家は対立して一つになる関係で、どちらが欠けることも許されない。もし法家がなかったら、儒家は構造化と組織化を達成できず、末端社会への働き掛けを実現できず、大戦の世で自らを強化できなかった。しかし、もし儒家がなかったら、法家は制約を受けない勢力になり、ただその権威体系は完全に標準化、垂直化、同質化した執行体系になっていた。

しかも荀学は決して儒法だけではなかった。荀子の思想はまさに儒家、墨家、道家の成功と失敗を集成していると『史記』は記している。

中華文明が巨大な苦境と矛盾に直面したときの包容の精神を荀学は最もよく体現している。なぜなら、それは「中道」に従っているからだ。中道の基準は事の道理に有益だという点だけにあり、特定の教条に従う必要はない。今日の言葉でいえば「実事求是」だ。「凡そ事行の理に益有る者は之れを立て、理に益無き者は之れを廃す。夫れ是れを之れ中事と謂ふ。凡そ知説の理に益有る者は之れを為し、理に益無き者は之れを捨つ。夫れ是れを之れ中説と謂ふ。事行中を失ふ、之れを奸事と謂ふ。知説中を失ふ、之れを奸道と謂ふ〔事業と行動に有益なものはおこない、無益なものは廃止する。これを中事という。知識と学説に有益なものは採用し、無益なものは捨てる。これを中説という。事業と行動が中事を失うことを奸事という。知識と学説が中説を失うことを奸道という」。実事求是の基礎の上に確立された中道精神により、中華文明は完全に相反する矛盾を最も巧みに受け入れ、見たところ結合不可能な矛盾を最も巧みに結合させ、あらゆる二者択一の事物を最も巧みに調和、共生させる。

荀子は70歳すぎで亡くなった。彼の思想は非常に矛盾していたため、死後の境遇はいっそう複雑になった。彼は孟子と並び称されたが、儒家が正統になった後の1800年間の中で、儒家各派に尊重されたことはなかった。清の乾隆帝の時代になり、考証学を研究する儒学の大学者たちは、漢代初期の儒学者によって灰じんの中からよみがえった基礎的な重要文献が、意外にも全て荀子の伝えたものだということに気付いた。

もともと、戦火が燃え盛っていた戦国時代最後の30年、彼は一方で法家の奇才である李斯と韓非を育て、もう一方で黙々と儒学について記して伝授していた。焚書坑儒以降、彼が「私学」を通じてひそかに伝えたこれらの古典だけが残り、漢代の儒学者によって語られ、あらためて書き記された。

純粋なことをおこなうのは易しいが、中道をおこなうのは難しい。両極端のものに見捨てられ、挟み撃ちされることに常時備えておかなければならない。それでも歴史は最終的には中道に沿って前進する。漢の武帝と宣帝は荀子の「礼法合一」「儒法合治」の思想を受け入れた。続けて歴代王朝も彼の思想に基づいて進んだ。儒法はここで本当に合流した。法家は中央集権の郡県制と末端官僚組織をつくり出し、儒家は士大夫精神と家国天下の集団主義倫理をつくり出し、魏晋唐宋でまた道家と釈家〔仏教〕を融合し、儒釈道合一の精神世界をつくり出した。

特に安定したこのような大一統の国家構造は東アジア全体に広まり、中華文明が強くても覇を唱えず、弱くても分裂せず、延々と続いてきた秘密になった。これをまだ「秘密」と呼ぶのは、大多数の西洋の研究者が今なお理解していないからだ。

荀子。中国の儒家思想の代表人物の1人で、「礼法合一」を主張(nipic)

中央党学校の校訓になっている「実事求是」。この言葉は荀子の思想を継承・発揚している(写真提供:徐祥臨)

戦国時代とギリシャ(3) 連合より自治重視の都市国家

アレクサンドロス大王による統一運動

紀元前325年、アレクサンドロス大王はエジプトとペルシャを征服したギリシャの精兵を率い、はるかインド・パンジャーブ地方のビアース河畔にたどり着いた。川を渡ればインド全域、ひいては中国だ。彼は前進を続けるようあふれるような思いで将兵を鼓舞したが、重い戦利品を運んでいた戦士たちはそれ以上東へ進もうとしなかった。アレクサンドロス大王は河畔の夕日に向かって激しく泣き、引き返すほかなかった。彼は2年後に病死した。

アレクサンドロス大王の東征はギリシャから出てきた統一運動だ。ギリシャの統一運動はポリス〔都市国家〕の危機から生まれた。今日、西洋が深く懐かしむギリシャ古代文明とは、実際のところ民主制度の最も偉大な成果を代表するアテネの歴史の短い期間、すなわちペリクレスが政治をおこなった黄金時代のことにすぎない。ごく短い数十年の黄金時代の後、ポリスは絶え間ない内部抗争に陥っていった。

100年続いたこの混乱した局面の中で、次のような声が次第に出てきた。各ポリスは限りある資源を奪い合わず、外部に向かって団結し、ペルシャを征服して植民すべきだ。そうすればギリシャは永遠の平和を獲得できる。

最も高らかに声を上げたのはアテネ最高の雄弁家イソクラテスとギリシャ最高の哲学者アリストテレスだ。

イソクラテスは紀元前380年に発表した「パネギュリコス（オリンピア大祭演説）」の中で、「同じ源泉から利益を得て同じ敵と戦うまで、ギリシャ人は仲良く暮らすことができない」「そのため、私たちは必ず全力で速やかに戦争をここからアジア大陸に移さなければならない」と述べた。

現代の歴史学者はこの考え方を「汎ギリシャ主義」あるいは「大ギリシャ主義」と呼ぶ。その根本的な原動力は土地不足や人口過剰の解決だ。ギリシャ文明の伝播は単なる副次的な結果だった。これは後世の西洋における帝国主義思想の原型になった。イソクラテスは帝国主義を打ち出した最初の人物だ。

しかし、彼が40年間呼び掛けても、アテネは終始全く耳を貸さず、むしろ引き続きスパルタやテーベ、マケドニアを攻撃しようとし、団結してペルシャと戦おうとはしなかった。

イソクラテスは最終的に諦め、マケドニア国王ピリッポス2世にギリシャ統一を公然と呼び掛けた。彼は有名な戦略をピリッポス2世に提案した。「ほかのペルシャ総督にペルシャ国王の束縛から抜け出すよう説得する必要があります。その前提は彼らに『自由』を与え、さらにそうした『自由』の恩恵をアジア地域に及ぼすことです。なぜなら、『自由』という言葉がギリシャ世界に入ってくれば、私たち〔アテネ〕の帝国とラケダイモン〔スパルタ〕人の帝国の瓦解を引き起こすからです」

これらの話は、自由と民主というアテネに対する後世の人々の印象とは大いに異なる。20年後、ピリッポス2世の息子アレクサンドロス大王はイソクラテスの戦略と考え方に基づき、エジプトとペルシャを征服し、大ギリシャ植民地帝国を打ち立てた。ただ、アレクサンドロス大王の師はイソクラテスではなく、アリストテレスだった。

帝国主義の起源はアリストテレス

アリストテレスはマケドニアの支配下にあったエーゲ海北西の都市スタゲイロスに生まれた。そこはアテネ人から見ると蛮族の地域だった。

アリストテレスは蛮族の身であっても心はアテネにあった。彼はプラトンの最も優秀な弟子だったが、プラトンの死去に際して学園「アカデメイア」の後継者にはなれなかった。一番の理由はアリストテレスが外国人だったことだ。彼には「公民権」がなかったため、アテネで合法的な財産〔土地〕を所有できず、政治に参加できなかった。法律はギリシャの最も偉大な知者をアテネから切り離した。また、アテネ以外で生まれながらも喜んでアテネに忠誠を尽くす全ての有識者をアテネから切り離した。興味深いのは、この法律を発布したのが民主政治の模範であるペリクレスだということだ。

アリストテレスはアテネを離れてマケドニアに身を寄せ、王子だったアレクサンドロスの教師になった。彼はギリシャ文明の最高の基準でアレクサンドロス大王を育てた。彼の教育によって14歳の少年はギリシャ文学やホメーロスの叙事詩を愛好し、生物学や植物学、動物学などの知識を情熱的に学ぶようになった。それ以上に重要なのはやはり政治思想だ。アリストテレスはアレクサンドロス大王のために特に『王道論』『植民論』を書いた。アレクサンドロス大王の精神と事業の偉大さはアリストテレスの深い形而上学から来ているとヘーゲルは指摘した。

アレクサンドロス大王は容赦なく征服しながらギリシャ文明を広めた。競技場や神殿を備えた大量のギリシャ型都市をアフリカ、西アジア、中央アジア、南アジアに建設し、博物館と図書館で科学、文化、哲学、芸術の殿堂をつくり上げた。西洋の帝国主義の「暴力的征服＋文明の伝播」という方式はまさにアリストテレスに起源する。

アリストテレスはアレクサンドロス大王に「アジア人の主人になり、ギリシャ人の指導者になる」よう提案した。イソクラテスもかつてピリッポス2世に「ギリシャ人には説得を用いてよい。蛮族には脅迫を用いてよい」と述べた。これこそ、内部が民主で外部が植民、上部が公民で下部が奴隷という「ギリシャ帝国」の精髄だ。こうしたダブルスタンダードのギリシャ式帝国は後日の欧州帝国の精神的な原型、政治的なひな型だ。

紀元前338年、マケドニアはアテネに大勝し、勝利に乗じてペルシャに進軍した。この知らせを受けたとき、イソクラテスはすでに98歳だった。送り返されてきたアテネ兵の遺体を見た後、彼は絶食による死を選んだ。マケドニアとの戦場で死亡した青年らによって、彼は自分の「大ギリシャ」思想に解決しようのない矛盾が存在することを理解した。彼は自由を尊重しただけでなく、統一を渇望した。統一がもたらす暴力は自由を破壊する可能性があった。ただ、自由が生む混乱もまた、統一を破壊する可能性があった。

イソクラテスの死後、ポリスは二度と団結しなかった。ギリシャの大軍の遠征前夜、ピリッポス2世が暗殺され、テーベは知らせを聞いてすぐに離反した。アレクサンドロス大王がバビロンで死ぬと、アテネは反乱を起こした。最後にマケドニアがローマの侵入者と決戦した際、ポリスはあろうことか背後からマケドニアに致命的な一撃を加えた。マケドニアがギリシャの半島文明を広めて世界文明にしたとはいえ、ポリスはむしろ共によそ者に破壊されようともその権威を認めなかった。

米国の歴史学者ファーガソンは次のように総括している。「ポリスは独特の内在的な構造を持つ単細胞の有機体で、再分割を進めない限り発展しようがなく、それらは無制限に同じような都市を複製できた。しかし、新旧を問わずそれらの細胞は全て、連合して一つの強大な民族国家を形成することができなかった」

なぜなら、ポリス政治の基礎は民主ではなく自治だったからだ。ポリス自身はいかなる政治制度も選択できたが、決して外来の権威に服従しなかった。ギリシャはローマに征服されるまで、大小のポリス全てが満足する「連邦制」には変化せず、ポリスの利益は終始一貫して共同体の利益の上にあった。

アレクサンドロス大王の在位期間、古代ギリシャ文化の繁栄と東西文化の交流が進んだ（写真提供：潘岳）

古代ギリシャの有名な思想家で、西洋哲学の開祖の1人アリストテレス（写真提供：潘岳）

戦国時代とギリシャ(4) 東西の相違こそ対話の基礎

「分」と「合」に分かれた政治観念

中国の古代にも多くの国が乱立し、一つの都市が一つの国になる局面がかつてあったが、最終的にはこれらの都市国家は長期にわたっては分立せず、地域的な王国を形成し、さらに一歩進んで統一王朝に発展した。

どのように争うかにかかわりなく、戦国七雄は一つの秩序しか持てず、分割した統治は長期的ではないはずだと考えていた。同時代のギリシャ都市国家の世界には宗主国は存在せず、異なる連盟による闘争があるだけで、「共通の秩序」が存在するとは考えられていなかった。

国家間の関係から見ると、周代の礼式では、一国で疫病や凶作が起こったら、他国は食料を提供し、被災者を救済しなければならないと定めていた。また、一国に冠婚葬祭があれば、各国は祝賀と哀悼に出向かなければならないとも定めていた。これらの責務は強制的なもので、天子によって擁護されていた。諸侯の覇者もこれらのしきたりを擁護することでようやく覇を唱えられた。これにより、国家間で「華夏（中国の古称）世界」に共に属しているという一体感が強化された。一方、ギリシャの都市国家間には責任関係が確立されなかった。母市からの植民でできた新しい都市国家であっても、母市に対して責務はなく、しばしば矛先を向けて攻撃さえした。ギリシャ・ペルシャ戦争の際にも、ギリシャ人という共通の立場はわずかな効果しか発揮しなかった。

二つの文明の本質的な性質は二つの異なる道をつくった。

西洋は絶えず「分」に向かった。地域で分割され、民族で分割され、言語で分割された。ローマとキリスト教の努力のように、その中にも統一の努力はあったが、分割のすう勢が主流を占め、最終的に個人主義と自由主義に帰結した。

中国は絶えず「合」に向かった。地域で統一され、民族で統一され、言語で統一された。王朝交代や遊牧民族の衝撃のように、その中にも離散の時期はあったが、統一のすう勢が主流を占め、それによって中華文明の集団主義が育まれた。

決して中華文明に「分」の概念がないわけではない。しかし、それは決して「分割した統治」ではなく、「分担」だった。人がひ弱なのに鳥獣を超えて生き延びられるのは、集団を組織できるからだと荀子は言った。集団をつくる鍵は異なる社会的役割を確定し、かつ相応の社会的責任を引き受けることにある。分担が「礼儀・道義」に合致しさえすれば、社会を統合できる。このため「分」は「和」のためのものであり、「和」は統一のためのものだ。統一すれば強大になり、強大になれば自然を改造できる。

アリストテレスにも「合」の思想があった。彼は「絶対王政」の概念を打ち出した。つまり「君主1人が氏族全体や都市全体を代表し、家庭に対する家長の管理のように、全ての人々の事柄を全権的に支配する」ということだ。彼は「全体は常に一部を超越するが、このようにずば抜けて優秀な人物はそれ自身が一つの全体であり、ほかの人々は彼の一部のようなものだ。唯一の可能なやり方は皆が彼の支配に服従し、他人と交代させずに無期限で支配権を握らせることだ」と考えた。アリストテレスを批判する人はこれに対し、アレクサンドロス大王のためにつくられた政治理論で、彼が真理よりも権力を愛していることを示していると述べた。

　アレクサンドロス大王の死後、アリストテレスはすぐ反撃に遭い、アテネ公民大会の裁判に直面した。前回こうして裁判にかけられて毒を飲んだのは、彼の大師匠ソクラテスだった。アリストテレスは二の舞いを演じないようマケドニアのエヴィア島に隠れた。彼の逃亡はアテネ人にあざ笑われた。1年後、アリストテレスはわだかまりを抱えて死去し、アレクサンドロス大王の帝国もすぐに分裂した。

　マケドニア王国の拡張方式は、到達地におけるギリシャ式自治都市の建設だ。こうした「自治」はその都市に居留するギリシャの植民者に対するものであって、征服された土着の社会を含まない。アレクサンドロス大王は新たに征服した一つ一つのアジアの都市に自らの側近を派遣し、総督を務めさせた。彼らは軍事と税収だけを管理し、民政には構わなかった。こうしたやり方は中央が強大な時には許されたが、いったん中央の権力が衰えると、逸脱した行動が生まれ、都市は次々と支配から抜け出した。アレクサンドロス大王の帝国の瓦解は必然だった。

中国の戦国時代における末端政権の組織方式は完全に異なる。出土した秦代の竹簡によると、秦国は併合のたびに県から郷までの末端政権組織を確立するようにしていた。県と郷の官吏は全ての民政を処理しなければならなかった。開墾を組織し、戸籍の統計を取り、税金を徴収し、物産を記録し、それらの情報を都の咸陽に伝えて保存していた。秦の官吏は一つの土地に長くとどまらず、数年で交代していた。

自由と秩序の相互参考を

人類社会の歩みの中には、全てを説明できる理論は存在せず、普遍的な絶対的原則は存在しない。現今の東西文明の観念で最大のもつれは、「自由優先」なのか「秩序優先」なのかということだ。これはそれぞれギリシャ文明と中華文明の中心的な価値観だ。

「ギリシャ人」という言葉は自由に対するギリシャ人の強い愛情により、人種の名前から「知恵」の代名詞に変わった。中華文明は秩序に対する中国人の強い愛により、同源で一つの文字を使い、かつ国家の形態によって現在まで持続している唯一の文明になった。

秩序優先のもたらす安定と自由優先のもたらす革新では、どちらがより追求する価値を持つのか？　これは哲学、政治学、宗教学、倫理学の限りない論争を含んでおり、私たちは定説を必要としない。これら異なるものを残すこと自体が、ちょうど将来の文明の相互参考と融合に可能性を残す。多元と矛盾の併存は人類文明の遺伝子バンクにより多くの種を残すだろう。自由優先と秩序優先という相違は東西文明の交流の障害になるべきではなく、むしろ東西文明の交流と対話の基礎になるべきだ。一方では、技術の発展が爆発的な革新の前夜に進んだことで、私たちは自由のもたらす創造力を深く認識した。もう一方では、非伝統的安全保障の危機が頻繁に勃発したことで、私たちはあらためて秩序の大切さも認識した。自由についていえば、どのように秩序を強化し、それによって崩壊を防ぐかを検討しなければならない。秩序についていえば、どのように自由を強化し、それによって革新を呼び起こすかを検討しなければならない。問題は自由と秩序の二者択一ではなく、どの部分で自由を強化し、どの部分で秩序を強化するかということだ。

過去、一つの理念の検証には、数百年をかけて何代もの人々が繰り返し試行錯誤することが必要だった。今日においては技術革新の下、数年間で原因と結果がはっきりと理解できる。省察、絶え間ない包容、調和と共生、相互参考と融合を理解できる文明だけが、真に持続的に発展できる文明なのだ。そのために東洋と西洋はしっかりと語り合うべきだ。

（魏巍・田潔・四谷寛訳）

「一帯一路」建設は東西文明の相互参考を推し進めている。写真は中国の「剪紙」（切り絵）を見るイタリアの少女（新華社）

秦漢とローマ

秦漢とローマ(1) 東西政治文明の基礎

秦漢とローマはともに農業社会を土台に築かれた大規模な政治体であり、同じ時代にあって人口規模や領土の広さもほとんど変わらない。しかし、大土地所有と小農民没落の関係、中央と地方の関係、政権と軍閥の関係、上層と末端の関係、固有文化と外来宗教の関係――これらを処理していくうちに両者はまったく異なる結果にたどりついた。ローマ後の欧州では、キリスト教を信仰する封建国家が全域で生まれたが、他方、秦漢後の中国では引き続き大一統の隋唐王朝が興ったのである。

秦漢の末端統治

2002年、湖南省西部の里耶《りや》鎮〔湘西トゥチャ族ミャオ族自治州龍山県〕で秦代の小都城遺跡「里耶古城」が発掘された。城内の古井戸からは「里耶秦簡」とよばれる秦代行政文書の簡牘《かんとく》〔文字を記した竹や木の札〕が数万枚出土し、いまから2000年以上前の秦代末端統治の様相が現代人の目に明らかになった。

考証によると、当時の里耶古城の人口はせいぜい3000人から4000人、険しい山間地で農地に恵まれず、租税徴収高は全国平均をはるかに下回っていた。それでも秦朝は総勢103人(1)で構成される十全な官僚機構をここに設置した。経済的観点からみれば、これだけの官吏を置くに値しない土地である。しかし、秦帝国にとって田賦は二の次だった。

簡牘を丹念に整理していくと、「枝枸」とよばれる植物の性状、分布、産出量を詳しく書いた官吏の「メモ」が出てきた。ここから見て取れるのは、山や川に眠る物産品を全力で掘り起こす秦代官吏の使命感だ。彼らは土地開拓、戸籍編纂、地図作成を地道に進め、のちに結果をすべて上級の「郡」に報告した。「郡」は各県の地図をあわせて「輿《よ》地図〔全国地図〕」をつくり朝廷に献上、公文書として保管され閲覧に供された。秦の官吏は経済振興だけでなく、煩瑣な行政・司法実務もこなさなければならなかった。秦は完備された法体系を有し、法律や判例にとどまらず上訴制度も有していた。下級官吏は厳格に法に従って仕事をしなければならなかった。例えば、文書はすべて同じタイミングで控えを複数部門に送りチェックを受けねばならなかったし、罪に比して軽い判決またはその逆といった「不正」が発生したとき、あるいは法律が相互に抵触したときもやはり上級部門に順次報告し、仲裁を受けねばならなかった。2000年以上前にここまで綿密に末端行政がおこなわれていた例はまず存在しない。

里耶秦簡の死傷者名簿には在任中に過労や病気で亡くなった下級官吏の名前が多く含まれている(2)。定員103人で長期欠員は49人である。秦朝は、官吏が命を削って働くような「過酷な政治」でわずか14年の間に「車は軌を同じくし、書は文を同じくし、行いは倫を同じくす（車軌と文字の統一、倫理道徳と行動の一致、『中庸』）」を実現、国土保全や道路網建設などの大規模建設工事を完遂したのである。

貴族出身の項羽は秦を滅ぼしたあと分封制を復活させ、自身は一地方の諸侯におさまって勝手知ったる生活を送ることを望んだ。他方、項羽と天下を争った劉邦は昔に戻ることを拒否し、項羽に勝ったあと秦の大一統を引き継いだ。劉邦自身もそうだが、その集団（劉邦集団）幹部もほとんどが下級官吏出身だったので、帝国の下層基盤と中央の結びつきをよく理解していたし、郡県制の運用にも通じ、庶民のニーズにも敏感で、大一統を維持する極意を熟知していたのである。だからこそ、秦の都・咸陽に攻め入った際も、劉邦集団は金銀財宝には目もくれず、律令、地図、戸籍簿だけを奪った。劉邦が後にこれらの資料を拠り所にして大漢王朝の中央集権郡県制を打ち立てたのは間違いない。

中国の制度は「強大な国家能力」を備えており、中国は世界史上もっとも早い「近

代国家」を欧州に先んじること1800年、すでに秦漢の時代から構築していた
――『歴史の終わり』の著者フランシス・フクヤマの文章に近年たびたび登場する指摘だ。フクヤマのいう「近代」の基準は、血縁に依らず、法の原理に則り、組織体制が明確で、権限と責任の関係が明瞭な理性的官僚体制を有しているかどうかである。秦漢流にいいかえれば、これは「天下は末端行政から生まれる」ということだ。

ローマの国家統治

秦漢と同時期、ローマは地中海の覇者として勃興した。

中国は黄土平原の農業文明、ギリシャ・ローマは地中海の交易文明、そもそものの出自からして水と油に等しいと考える人は多い。しかし、実際はそうではない。紀元前500年から紀元後1000年までのギリシャ・ローマは農業社会で、商業〔交易〕は些細なオプションに過ぎないというのが1960年代以

降、西洋史学会の定説になっている。英国の著名な歴史学者モーゼス・フィンリー(Moses Finley)は著書『Politics in the ancient world〔古代世界の政治〕』で次のように書いている。「土地は最も重要な財産で、家族が社会組織の最上位に位置し、ほとんどの人は自給自足を目指していた。財産の大部分は土地の賃貸料と地租に由来した」。これは秦漢と酷似している。

ギリシャは哲学者を、ローマは「農民＋戦士〔農民兼兵士〕」を生み出した。地中海のいたる所で戦ったローマの兵士は、退役後に土地を手にしてオリーブやブドウを栽培できればそれで十分だった。最後は「解甲帰田《かいこうきでん》〔退役して故郷へ帰り農業に従事すること〕」を切望した秦漢の兵卒と同じである。

ローマ市民は商業を軽蔑し、交易や金融は被征服民族の生業だと考えていた。共和国の黄金時代、商人は元老院議員になれなかった。貴族は出征で得た財産をすべて土地の購入と大荘園の経営にあてた。農業は生計の手段ではなく、田園生活の賛歌だったのである。この点、秦漢はさらにその上を行き、ローマ以上に農業が本、商業が末だった。

土木工事、戦争、国家統治に長けていたローマ人は凱旋門、闘技場、浴場を残した。秦漢も同じである。現実への関心が高く、国家を運営し、長城を建設し、火薬を発明したが、論理学や科学を得意としたわけではなかった。

ローマは西洋文明に政治的遺伝子を注入した。憲制官僚体制と私法体系をつくり、西洋市民社会の原型を生み出した。共和政にせよ帝政にせよ、思想でも制度でも法律でもローマは西洋政治体の源流である。イギリス革命時の青写真「オセアナ共和国」には共和政ローマの痕跡がある。フランス革命期のロベスピエールとその盟友にも同じく共和政ローマの英雄の面影がある。米国の上院と大統領制は元老院と執政官制度を想起させる。20世紀になっても、米国の保守的学術界では建国の原則をめぐってローマ式の古典的共和政にあくまで従うのか、それとも啓蒙思想の民主主義と自然権にこだわるのかという議論がおこなわれている。ローマの魅惑的な面影が西洋政治文明から消え去ったことはない。

秦簡の複製品4280枚で作られた里耶鎮の壁の前で、秦代の文化に触れる観光客
(Asia News Photo)

夕日の下、かつての帝国の輝きを放つ古代ローマの遺跡(写真提供：潘岳)

秦漢とローマ(2)　共和政ローマの挽歌

土地、内乱、帝政

紀元前206年、ちょうど中国で楚漢が争っていたころ、ローマはカルタゴとの第2次ポエニ戦争のただ中にあった。半世紀を費やしてついにカルタゴを滅ぼしたローマは、マケドニアを解体し、地中海の覇者になった。重要なのは、この間ローマはずっと共和政を維持していたことである。

古代ギリシャの歴史家ポリュビオスは、「混合政体」すなわち王政、貴族政、民主政を融合したことがローマ成功の要因だという。対外軍事権をもつ執政官は王政を、経済大権を握る元老院は貴族政を、採決権をもつ民会は民主政をそれぞれ体現しており、この三つの力が互いにけん制しつつ均衡を保っていた、ということだ。

紀元前1世紀、この権力バランスが崩れ、「内乱の時代」に突入した(3)。そして紀元前27年(4)になってローマはついに共和政から帝政へと転換する(5)。それまで150年間内乱とは無縁だったローマ人を、一転して殺すか殺されるかの状況に追いやったものは何か。土地である。

1世紀半の海外遠征でローマの富豪は大量の奴隷と財宝を故土にもちかえり、「ラティフンディア〔奴隷制大農経営〕」を生み出し、これが自営小農民の大量没落と大土地所有の急発展を招いた。平民はしだいに貧民へと変わり、最後は「パンと見せ物」を求めてローマをさまよう無産市民にまで没落した。

君主〔執政官〕、貴族、平民のなかで最も強い力をもっていたのが貴族である。イタリアの政治思想家マキャベリの言葉を借りれば、ローマ貴族は名誉の点で平民に譲歩するのにやぶさかではなかったが、財産の点では1ミリたりとも譲歩しなかった。したがって、無産市民は最終的に軍閥に頼るしかなかった。戦争で土地を得ることができるのも、それを兵士に分配するよう元老院に強制できるのも軍閥だけだったからである。

こうして国家のために戦った市民は将軍たちの傭兵になった。政治家が支持を失った空白をついて軍閥が登場したのである。

内乱時代のローマに1人の哲学者・雄弁家が誕生した。「古代共和政の父」キケロである。

キケロは紀元前63年、ローマ初の貴族出身ではない執政官になると政界で大暴れし、彼のおかげで死んだ者、失脚した者もいれば、歴史に名を残した者もいる。カエサルの「養子」ブルトゥスはキケロを「精神上の父」とみなした。「暴君を殺害することは真の英雄的行為だ」というキケロの思想に感化されて、ブルトゥスはキケロの名を叫びながらカエサルに剣を振りかざした。

キケロはカエサルの死後、その後継者アントニウスに矛先を転じた。ただ、アントニウスはカエサルと同じ独裁の道を歩むつもりはまったくなく、むしろ元老院と共同でローマを治めたいと考えていた。にもかかわらず、キケロは共和派のリーダーとしてこれを黙殺し、軍隊の招集を共和派に指示すると同時に、オクタヴィアヌスに武装反乱をもちかけた。

このときオクタヴィアヌスは若干19歳、自身もアントニウスに取って代わりたいと思っていたので、すぐさま3000人の古参兵で私兵団を組織しローマに進軍した。このオクタヴィアヌスの反乱は、キケロの「フィリッピカ（アントニウス弾劾演説）」の後ろ盾もあって「共和政を防衛するもの」と位置付けられた。

こうしてオクタヴィアヌスは部隊を率い、元老院の大軍も味方につけてアントニウスを打倒、続いてキケロの協力を得て執政官に立候補した。このとき彼は喜んでキケロの露払いになるとも誓っている。

ところが、オクタヴィアヌスは執政官に当選するやいなやキケロを見捨て、一転してアントニウスとの和議に走った。アントニウス側の条件はキケロを殺すことだった。オクタヴィアヌスはなんのためらいもなく同意した。

ギリシャの作家プルタルコスはキケロの最後を次のように書き記している。「やみくもに逃げていたキケロは絶えず馬車の窓から首を出し追っ手をふりかえった。アントニウスの兵はこの首を切り落とし、いつもキケロが見識豊かな弁論をおこなっていた演壇につるした」(6)

これは、ローマ史のなかでもとりわけ人々にショックを与えずにはおかない悲劇——帝政のカーテンコールに引きずり出された共和政の挽歌である。キケロの死から11年後、オクタヴィアヌスはローマ帝国の初代皇帝になった。

自由の名のもとに

巨富を擁したローマが、その富をいくらかでも貧富の格差解消にまわし、国家の分裂を防ぐことができなかったのはなぜか。歴史書はローマ貴族の贅沢きわまりない生活にその罪をなすりつけるが、これは一面的である。平民は没落しても選挙権があった。執政官の選挙は年に一度、貴族が競って大規模なフェスティバルや格闘技大会、パーティーのスポンサーになったのは、ほかでもなく平民票の獲得のためである。

貴族がいくら裕福だといっても選挙費用をまかなうには十分ではなく、選挙のために破産する者も多かった。ここで財閥の出番となる。表立って資金援助を始めた彼らは貴族ばかりでなく軍閥にも投資した。財閥の金が絶えずローマの軍団に流れると党派闘争は内乱に転化した。50年間に大きな内乱が4回勃発すると、混乱と絶望に陥ったローマ市民は最終的にオクタヴィアヌスの共和制から帝政への移行を支持するようになった。

これはローマ市民が自由を嫌ったということではない。そうではなく、自由は彼らに平等と富と安寧をもたらさなかった、つまり、言葉だけの自由は彼らの切実な関心に報いることができなかった、ということである。貧富の格差問題がそうだ。血を流して戦っても生涯土地を手にすることができなかった兵士たちの不満もそうだ。官と財の構造的癒着と腐敗もそうだ。元老院はこれらの問題に解決策を考えたこともなかった。解決を試みたのはむしろ軍閥である。例えば、オクタヴィアヌスは退役兵士に土地と現金を集中的に支給する財源を設けた。カエサルも万単位の貧民に耕作地を提供するべくローマ近郊のポンティーネ湿原干拓を計画した。コリントス運河をつくってアジアとイタリアの経済を結びつけようとしたのもカエサルである。しかし、ローマ「共和政の父」キケロはこうした工事を批判した。自由を守ることに比べれば雀の涙ほどの価値しかなく専制君主の功名心の最たるものだ、「血と汗を流せ、甘んじて奴隷になれ」と人々に迫っている証拠だと。

「自由」を乱用したのはなにも雄弁家だけではなく、軍閥もそうだった。軍閥にとっての「自由」には、政治の制約を一切受けないという意味が含まれていた。ある派閥が元老院で優勢を占めると、対抗派閥は「自由が圧迫されている」と公言し、当然のように兵を挙げて反乱を起こした。ポンペイウスはマリウス派を暴政といいなし、私兵団を招集した。カエサルは、そのポンペイウス一味が自由を迫害しているとし、ガリア軍団を率いてルビコン川を渡った。オクタヴィアヌスは反乱に勝利すると貨幣を鋳造させ、そこに自身の像とともに「ローマ国民の自由の守護者」の銘を刻んだ。自由、それは利害を異にする集団が内紛を引き起こす口実になったのである。

結局のところ、共和政がコンセンサスを得るには選挙だけでは不十分で、構造的改革を断行する政治家の自己犠牲の精神が必要なのである。

「自由」それのみで自由が守られたことはいままで一度もない。

ローマの「共和政の父」キケロ
(CNS Photo)

ローマ帝国初代皇帝アウグストゥス
(CNS Photo)

秦漢とローマ(3) 中華道統の礎を築いた前漢王朝

一体多元の「大一統」

中国の前漢王朝と共和政ローマは同時代に存在した。新王朝の初期、文帝・景帝と続いたわずか40年の間に、漢朝は「皇帝が同じ毛色の馬を4頭揃えられない〔皇帝用の四頭立て馬車を用意できないという意味、それほど困窮していたということ〕」(7)状態から食糧があり余っている状態になった。これだけ急速に豊かになったのはなぜか。朝廷が同一の文字、貨幣、度量衡を利用して巨大な市場を創出し、商取引を通じて各地方の経済を全国的に結び付けたからだと司馬遷はいう。分業は商品交換を生み出し、この「交換価値」が社会全体の富を増やし、同時に農業生産性の飛躍的向上を促したのである。このプロセスを通じて土台となり前提となったのが天下の「大一統」だった(8)。

漢朝の体制が最終的に固まるのは武帝〔劉徹〕の時代である。武帝は二つの大事業で中国に貢献した。一つは、地方諸侯の勢力を弱体化させ中央権力を郡県に直通させたこと、そしてこれを土台に「大一統」の儒家政治を確立したことである。もう一つは、国家の版図の基礎を築いたことである。

儒家政治の主な基礎は魯の国の年代記に孔子が筆削した『春秋』である。後世に流布している多くの版のなかで、前漢の儒学者・董仲舒《とうちゅうじょ》が高く評価した『春秋公羊《くよう》伝』、すなわち公羊学派が最大の影響力をもっていた。

公羊学の核心は「大一統」である。その最もユニークなところは、皇帝の権力を完成させると同時にそれに制限を加えたことだろう。中国の「天に奉じて運を承る〔天の意に従い天命を受ける〕」は西洋の「王権神授」説とは違う。ローマの「皇帝神格化」は民意と無関係だった。しかし、古代中国では天の意思は民意を通じて体現されねばならなかった。人民にとって良き天子であってはじめて「天」は皇帝を「天子」と認める。人民にとって好ましくなければ天は皇位を別の人間に賦与する。こうして天子、天命、民意の三つは抑制と均衡の関係を形づくる。つまり、天子は天下を司り、その天子は天命に従うが、天命はすなわち民意ということだ。権力には責任がともない、責務を尽くさなければその権力は合法性を失うということがここで強調されている。

漢の武帝は董仲舒の政治理論を受け入れ、手始めに次のことを官衙に命じた。時勢に明るく孝〔父母への孝順〕であり廉〔清廉潔白〕である寒門〔身分の低い貧しい家柄〕の儒者を民間から探すこと、そしてこれを側近として皇帝に推挙することである。このため、武帝の時代には平民出身の名臣が数多く輩出した。また、これ以降、官途に入り栄達するには儒家倫理の修得が不可欠になった。

文官政治の察挙《さっきょ》制度〔推薦を主とする官吏登用制度〕もこの時期に始まった。門閥富豪にだけ頼っていては天下を治めることはできず、むしろ道理をわきまえ、道徳心にあふれ、知識と責任感に秀でた下層の人物に権力を分与することではじめて民心を束ね政権基盤を拡充することができる——武帝にとってこれは自明のことだった。武帝は儒者に官吏を兼ねさせることで「統治」と「教化」の抱合を実現した。このときから地方官吏は行政に責任を負うだけでなく、教育にも責任を負わなければならなくなった。

さらに、武帝は文官を統制するために「刺史《しし》制度」を設けた。中下級官吏の一定数を刺史とし、不定期に地方行政の督察にあたらせたのである(9)。地方豪族の大土地所有をけん制することと、地方官吏の職業的モラルを維持することが目的だった。これは歴代中央監察制度の端緒である。

劉徹〔武帝〕の「百家を罷黜《はいちゅつ》し、独り儒術のみを尊ぶ〔諸子百家を排斥して儒家思想だけを尊ぶ〕」は実際には間違って理解されている。武帝は董仲舒だけではなく、法家の張湯《ちょうとう》、商人の桑弘羊《そうこうよう》、牧畜業主の卜式《ぼくしょく》、ひいては匈奴の太子・金日磾《きんじつてい》をも登用している(10)。みな『春秋』を読んでいたとはいえ儒者ではない。前漢政治は思想から実践にいたるまですべてが多元的である。多元的だというのなら、なぜ儒家思想で縛りをかける必要があるのか。それは、一体性がなく多元的な勢力均衡論のみに頼っていると最後は必ず分裂するからだ。逆に「大一統」さえあれば、多元的な思想を一つの共同体内に共存させることができる。

多元一体の「大一統」こそ漢の精神なのである。

「天下人心」を映し出す鏡——史官制度

中華文明は「公権力」から「絶対的自由」を保った西洋型の知識人を生み出すことができなかったという説がある。その際、司馬遷が西洋型に近い唯一の例外だともいわれる。曰く、司馬遷は董仲舒を師と仰ぎ儒学を学んだが、むしろ道家の「無為をして治める〔人為によらず天下を治める〕」に敬服しており、自由放任の商業社会のほうを好んだ。『史記』では刺客、侠客、商人に王侯将相と同じ「列伝」の待遇が与えられている。勇気をもって武帝を批判し(11)、自ら名乗り出て濡れ衣を着せられた大臣を擁護し、それが原因で刑罰に処せられた、と。

しかし、結局のところ司馬遷は世俗を超越したギリシャの学者と同じではない。司馬遷は武帝の政治流儀を好まなかったけれども、地方勢力弱体化には賛辞を惜しまず、国家騒乱をなくす抜本的措置だと考えた(12)。生涯を通じて貧しかったが金持ちに不平不満を抱いたことがなく、商人の富はほとんどが経済法則を把握し懸命に働いたおかげで得たものだと考えた(13)。酷吏〔法に威をかりて人を罪に陥れ、容赦なく処罰した役人〕に痛めつけられても法家に遺恨を抱かず、それどころか法家の政策がうまく実行されれば社会の長期安定を維持できるとさえ考えた(14)。

司馬遷は体制に対して合理的な批判を展開したが、それらはすべて個人的苦痛から出たものではない。「個人の得失」は眼中になく、全体の利益だけを重視したからである。ことさらに自由を追い求めたが故に公権力を批判したのではなく、それが天下にとって有害と考えたから批判したのである。称賛もそうだ。公権力の暴威に屈したからではなく、それが天下にとって有益だと考えたから称賛したのである。個人の自由と集団の責任は司馬遷のなかで弁証法的に統一されていた。これは、中国知識人が西洋知識人と区別される際立った特徴である。

司馬遷は『史記』で武帝を批判しただけではなく、漢朝を開いた皇帝・劉邦の邪推や呂后による政治の乱れ、功臣名将の欠点も書き、漢朝成立を少しも神聖視するところがなかった。にもかかわらず、漢朝は『史記』を公式に集成した国史として後世に伝えていった。すべてを積極的に受け入れる意思と自己批判の精神がなければできないことである。漢朝は皇帝を評価する権限を史官に与えた。歴史は中国人の「宗教」に相当し、歴史の評価は宗教裁判に相当する。この原則は歴代の王朝に引き継がれていった。

華夏の正統は中華の道統〔本来、儒学の道を正統とする考え方を指すが、ここでは広く倫理的、政治的規範の意〕である。大規模政治体が長期にわたって安定するには、社会の各集団、各階層がこの道統を価値観として共有しなければならない。中華の道統の核心は中道、寛容、平和であり、それはある種の原則、境地、法則、価値を体現したものだ。皇帝から臣民にいたるまで、社会階層のすべてが各々の道に従わなければならない。「公」のためか「私」のためか、「大一統」の維持か分裂か、正しい道は高々と掲げられており、だれもその「道」というものから逃れることはできない。

中国の「大一統」の政治構造を構築した漢の武帝（CNS Photo）

中国最初の紀伝体通史『史記』を書き上げた司馬遷（CNS Photo）

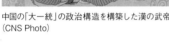

秦漢とローマ⑷　商業道徳の東西比較

仁政の負担

２０１７年の夏、モンゴル・ハンガイ山脈。中国とモンゴルの合同考古学チームはある赤褐色の石壁で摩崖石刻〔懸崖に彫刻した文字や仏像〕を発見した。専門家の考証を通じて、これが数多くの古い書物に登場する「燕然《えんぜん》山の銘」――漢が匈奴に大勝したあと〔班固の言葉が〕刻まれた碑文――だと確認された。

この碑文はローマ帝国にとっても重要である。燕然山の役が２００年におよぶ漢と匈奴の一進一退の戦いに終止符を打ち、その結果、北匈奴は西に逃れ、これが中央アジア草原民族西進の連鎖反応を引き起こしたからにほかならない。

匈奴が西に向かったのはなぜか。2013年、米国の古気候学専門家エドワード・クックが気候変動との直接的関係を指摘している(15)。2世紀から3世紀、モンゴル高原と中央アジア草原は100年におよぶ深刻な干害を経験し、生きていけない遊牧民族は中国に南下するか、欧州に西進するかしかなかった。そして、漢との戦争でついぞ勝利を手にすることができなかった匈奴には西進以外の選択肢がなかった。匈奴は中央アジア草原の遊牧民族とともに農業文明の中心――ローマを目指し、最終的に西ローマ帝国を瓦解させることになる。

漢朝が匈奴の南下に抵抗し続けなかったら、東アジアと世界の歴史は書き換えられていただろう。漢の武帝は即位から7年後(133年)、いつまでも続く匈奴の侵犯に我慢がならず、以降12年続く匈奴との戦争にふみきった。霍去病《かくきょへい》が遠征し、最後は河西地方〔今の甘粛省〕に諸郡が置かれる契機となった決戦のさなか、匈奴の渾邪《こんや》王が4万の部衆を率いて投降した。そして、投降した彼らを武帝は辺境の地に安住させることにしたのである。悪事の限りをつくした匈奴を今は官費で養わなければならない、漢の民がその面倒をみなければならない、これは中国の根幹を傷つけることになる、家臣たちはそう諫めた(16)。武帝は熟慮の後、皇室で費用を負担して匈奴部衆の平穏な暮らしを保証することにした。

戦争で負けた者たちを奴隷にするどころか自腹を切ってまで扶養するのは何のためか、疑問をもつ人もいるだろう。答えはこうである。儒家「仁政」思想が支配的だった当時、漢朝が必要としたのは人心の帰順だったからである。匈奴部衆の帰順に嘘がなければ、それだけで十分彼らは中国の民であり、仁義と財貨をもって遇する必要があるということだ。

しかし、仁政の負担は非常に重かった。中原と草原が同時に天災にみまわれると大量の小農民が困窮し、土地と家屋を豪商に売らなければ生きていけないところにまで追い詰められた。その一方で、これに乗じて利益を手にした投機的商人や大地主は一貫して国家の利益に無関心だった。朝廷が動乱平定資金の援助を要求しても、あろうことか「勝算が見込めない」のを口実に断ることもあった(17)。

こういう状況に対して官も民も、農業と商業の矛盾を解決する方法を探し続けた。法家思想を前面に出す人々は「重農抑商」を提起した。しかし、商業は漢朝繁栄の礎だった。一方、儒家は農業税の減税を主張した。しかし、税収が減ったら中央はどこから災害対策費、戦費を調達するのか。

武帝の時代になってようやく、桑弘羊という商人がこの問題に有効な解決を与えることになった。

国家に尽くす儒家商人

商人出身の桑弘羊は13歳のときに宮廷に仕え、当時16歳だった劉徹〔武帝〕

の伴読〔勉強のお供〕を務めた。20年後、商人がまたもや資金援助を拒否したとき、業を煮やした劉徹は桑弘羊の立案で全国の製塩業と鋳鉄業を全面的に政府管理下におく〔専売制〕命令を出した。紀元前120年のことである。塩と鉄は古代社会最大の消費物資であり、政府はこの最大の財源を独占したのである。

桑弘羊はほかにも「均輸法」と「平準法」をあみ出した。

各地方は余剰産品を朝廷に献上し、朝廷は官のネットワーク経由でこれを不足地域に配分するというのが均輸法である。このおかげで政府は農業税を増税しなくても巨大な財力を得ることができた。一方、平準法は同じく官のネットワークを通じて価格変動を解消するものである。ある商品の価格が高騰した場合、国家は市場に該当商品を廉価で放出し、逆に暴落した場合は買い入れる。こうすることで物価が安定するというものだ。

桑弘羊はさらに貨幣も統一し、分散していた鋳造権を朝廷に一元化した。まさにこうした一連のマクロコントロール政策と、中央財政が体制的に確立したおかげで、漢朝は天災による農業被害と匈奴の侵犯を克服する力を得ることができた。そればかりか、この経済力のおかげで漢朝は数々の業績を残すことができたのである。

桑弘羊は商人の気質をそなえていたが、同時に儒家の考え方もしっかり身につけていた。個人で蓄えた富を屯田〔辺境の兵士が耕す土地〕の開拓や水害対策に投じ、国家のために「天下を切り盛りした」。商人たるもの、いかなる規制にも縛られない「個人商業帝国」の建設を追求するべきなのか、それとも「独り其の身を善くする」にとどまらず「天下を兼《ひろ》く済《すく》う〔世の民の幸福のために尽くす〕」のか、商道の使命はいかに――この永遠のテーマを桑弘羊は後世の中国商人に残したのである。

西洋の商業観

桑弘羊と同時期のローマ帝国で、最大の豪商といえば「ローマ一の金持ち」クラッススである。クラッススはローマに消防隊がないのをいいことに、以下の方法で富を築いた。まず500人の私有奴隷で自前の消防隊をつくる。そして、火事がおこるとその家に向かい、家を安価で自分に売るよう要求する。家主が承諾すれば消火をはじめるが、拒否すればそのまま焼けるにまかせる。家主は仕方なく廉価で売らざるを得ないわけだが、そのあとクラッススは修築して当の「家主」を住まわせ、高額の家賃を搾り取る。このようにして彼は「火事場泥棒」よろしくローマ市内の大半の家屋を買い占めた。また、クラッススはローマ最大の奴隷斡旋業も営んでいた。彼の遺産はローマの国庫収入1年分に相当したという。

クラッススはパルティア遠征中に亡くなったが、彼が従軍したのは国家のためではなく自分のためだった。新たな属州を征服した者はその地の富を優先的に収奪する権利があるという暗黙のルールがローマにはあったからだ。クラッススのような商人兼政治家がもし中国にいればどうなるか。身代を築いたそのやり方は商業界全体から軽蔑されただろう。政治のリーダーになるなど論外である。しかし、ローマでは違う。その人物の財力が強力な軍隊を賄うのに十分であれば、あるいは大量の票と交換するのに十分であれば、それだけで政界トップの座に居座ることができたのである。

中国の商業精神は儒家農業文明から枝分かれした傍系である——これは近代以降にみられる考えだが事実ではない。商業精神はまぎれもなく儒家農業文明に内在する重要な構成要素だった。儒家思想を受動的に受け入れたのではなく、それに実質的な修正を加えたのである。

すでに戦国時代には、斉の宰相・管仲《かんちゅう》が市場による富の調整、貨幣による価格形成、利益システムによる社会的行為の誘発を提起し、行政権力の強制的な規制に反対していた。これは非常に近代的な考え方である。資本主義経済の成長発展はなくとも商工業文明の種は当時からすでに中国にあったということがわかる。

中国の商工業文明は生まれてすぐに儒家のモラルに、後には「家国責任（国のために尽くすことを責務とする）」にも縛られたが、これこそまさに二重の束縛であり、その結果、西洋タイプの企業家が中国では遅々として生まれなかったという人がいる。しかし、モラルと「家国責任」の問題に答えなければならないのはむしろ今日の西洋企業家のほうである。自己の利益を純粋に追い求めていけば自ずと社会共通の利益に到達するのか。国家の利益と個人の利益をどうやって明確に線引きするのか。国家主権から離れたところに自由経済は存立し得るのか。中国は２０００年の昔からすでにこれらの問題を考え始めていたのである。

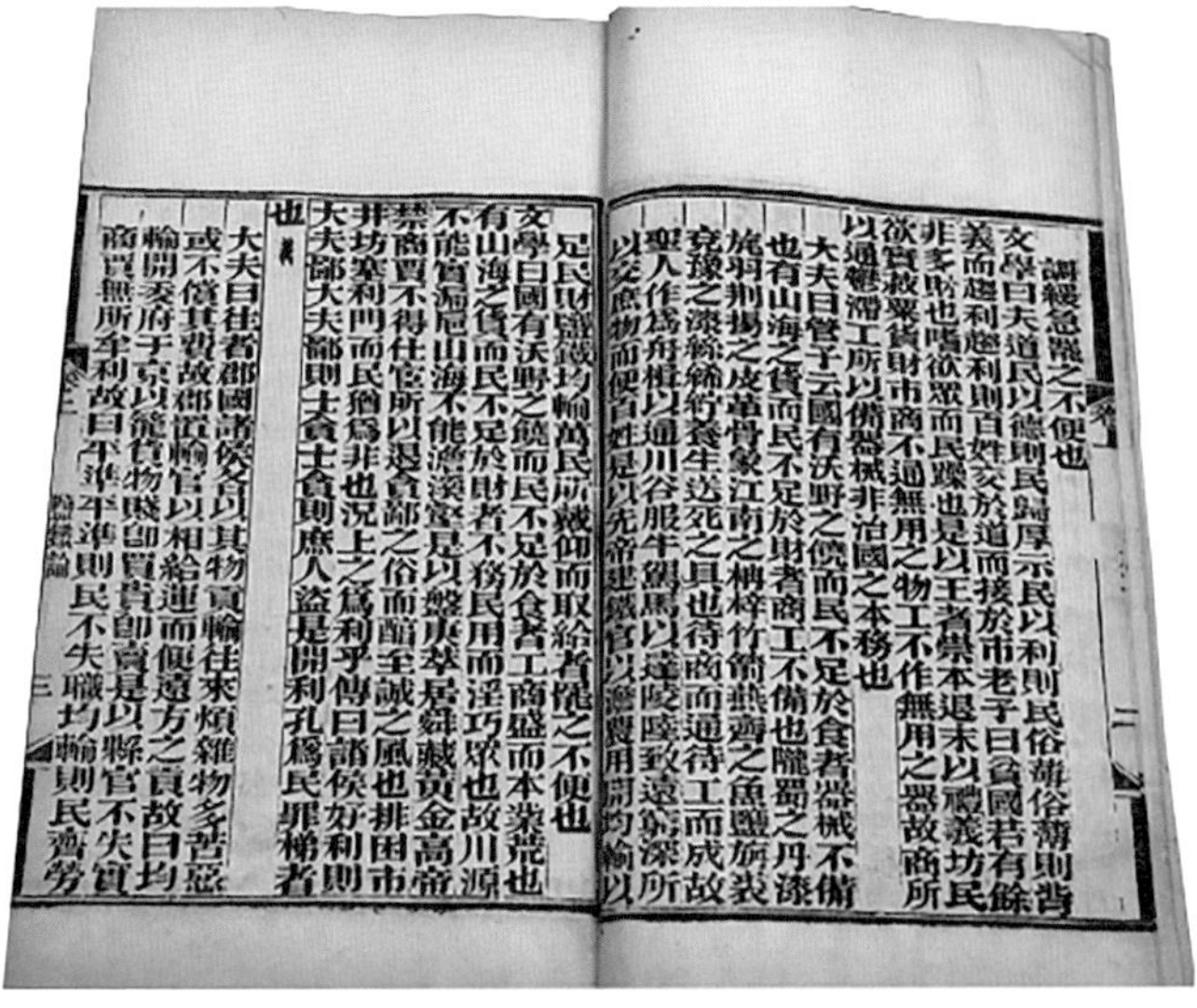

調緩急罷之不便也
文學曰夫道民以德則民歸厚示民以利則民俗薄俗薄則背
義而趨利趨利則百姓交於道而接於市老子曰貧國若有餘
非多財也嗜欲衆而民躁也是以王者崇本退末以禮義坊民
欲實菽粟貨財市商不通無用之物工不作無用之器故商所
以通鬱滯工所以備器械非治國之本務也
大夫曰管子云國有沃野之饒而民不足於食者器械不備
也有山海之貨而民不足於財者商工不備也隴蜀之丹漆
旄羽荊揚之皮革骨象江南之柟梓竹箭燕齊之魚鹽旃裘
兗豫之漆絲絺紵養生送死之具也待商而通待工而成故
聖人作爲舟楫以通川谷服牛駕馬以達陵陸致遠窮深所
以交庶物而便百姓是以先帝建鐵官以贍農用開均輸以
足民財鹽鐵均輸萬民所戴仰而取給者罷之不便也
文學曰國有沃野之饒而民不足於食者工商盛而本業荒也
有山海之貨而民不足於財者不務民用而淫巧衆也故川源
不能實漏巵山海不能贍溪壑是以盤庚萃居舜藏黃金高帝
禁商賈不得仕宦所以遏貪鄙之俗而醇至誠之風也排困市
井防塞利門而民猶爲非也況上之爲利乎傳曰諸侯好利則
大夫鄙大夫鄙則士貪士貪則庶人盜是開利孔爲民罪梯者
也
大夫曰往者郡國諸侯各以其物貢輸往來煩雜物多苦惡
或不償其費故郡置輸官以相給運而便遠方之貢故曰均
輸開委府于京以籠貨物賤卽買貴卽賣是以縣官不失實
商賈無所牟利故曰平準平準則民不失職均輸則民齊勞

漢代の学者・桓寛が著した『塩鉄論』。
桑弘羊の経済思想を比較的まとめて記録している（写真提供：潘岳）

秦漢とローマ(5) ローマ帝国と秦漢王朝、その共通点と相違点

統治の上層と末端

ローマ皇帝オクタヴィアヌスと漢の武帝・劉徹には共通点が多い。

2人とも青年時代から卓越した才能に恵まれていた。劉徹は17歳で即位し、49歳になる前に漢王朝隆盛の時代を切り開いた。一方、オクタヴィアヌスは19歳で挙兵、47歳になる前にローマ帝国の制度建設を終えていた(18)。

また、どちらも一面的には理解できない人物である。儒家でありながらその為業は法家に近く、法家といっても秦制に後退することはなく、道家を敬愛しながら儒家を登用して国を建てた人物、それが劉徹である。オクタヴィアヌスも矛盾に満ちている。時の有力者と手を組んで元老院を形骸化するかと思えば、元老院

と協力して有力者を抹殺することもした。形式的には共和政を保ちながら実質的には帝政をしいた。複数の文官職を兼任していたが、軍隊こそが彼の力の源泉だった。

2人がこれだけ複雑な人物だったのは、ローマと秦漢というあまりにもスケールの大きな政治体を統率しようとしたら、いかなる理論、制度、措置であってもどれか一つだけに依拠することはできなかったからである。

国家イデオロギーを重視したという点でも、両者はまさに「英雄は考えることが同じ」である。劉徹がちょうど「百家を罷黜し、独り儒術のみを尊ぶ」の号令一下、民心の統一を図ったのと同じように、オクタヴィアヌスも全力で「ローマ民族」アイデンティティの構築に取り組み、分裂主義を批判して国家への責務を果たすよう社会によびかけた。

しかし、国家統治という点で、両者の採用した道筋、到達点は大きく異なる。

オクタヴィアヌスは財閥が政治に与えるダメージを克服するために財閥を文官

体制のなかに取り込んだ。つまり「貴族と財閥が天下を共にする」状態をつくったのである。他方、下層から人材を抜擢・育成し、「平民精神」をもった王朝をつくり出すことが漢朝の文官路線だった(19)。

ローマ帝国の文官は属州の首都に集中しており、末端にまで届いていなかった。属州の下には自治権をもつ王国、都市、部落が存在した。ローマから派遣された総督と財務官は軍事、司法、徴税に責任をもつのみで、公共サービスと文化教育にはノータッチだった。彼らは常に地方の有力者の意向に従って実務的決定を下していた。例えば、ユダヤ属州総督ピラトはイエスの処刑を望んでいなかったにもかかわらず、ユダヤ人有力者たちがそれを強固に主張したため、泣く泣くイエスを十字架に磔にした。地方の都市建設や文化活動もまた、現地の富豪が積極的にスポンサーにならないと始まらなかった。英国の学者ファイナーはローマ帝国を指して「無数の自治都市で構成された巨大な持ち株会社」(20)といっている。

したがって、地中海をとりまく上層エリートの大連合だけがローマ帝国であって、下層大衆がそこに含まれたことはなかったのである。上下の融合や結びつきなどは論外である。西洋の学者がいうように、ローマ文明は豊かで複雑な上部構造を有していながら、経済基盤は貧弱な「ラティフンディア」だったのである(21)。文化基盤もそうだ。ローマでラテン語ができるのは貴族と官僚のみで、下層大衆はラテン語文章を読んでもまずわからなかった。ローマが下層の教育に消極的だったからだ。それ故、オクタヴィアヌスが望んだ「ローマ民族アイデンティティ」は一度も人民の琴線に触れることがなかった。上部構造がひとたび崩壊すると、下層大衆は各々独自の道を突き進み、ローマをはるか彼方に投げ捨てた。他方、秦漢は上層と末端を直接結びつけ、中央から県郷までを貫通する文官体制をつくりあげた。官衙の責任で末端から集められた人材は、厳格な考査をパスしてから地方に派遣され、徴税、民政、司法、教育を全面的に管轄した。漢朝は地方に学校をつくり、経学者に典籍〔経書〕を教えさせた。こうすることで別々の地方の人々を同じ一つの文化共同体にまとめあげたのである。中央政権が崩壊しても人々はどこでも同じ文字を書き、同じモラルに従い、共通の文化をもつ。このような社会的基盤のおかげで大一統の王朝が長く続いたのである。

政治権力と軍事権力の関係

ローマと秦漢のもう一つの違いは軍隊と政府の関係である。

両者の関係を処理するためにオクタヴィアヌスがとった方法は軍閥方式だった。当時もっとも潤沢だったエジプトの財政をまず「フィスクス〔帝室財庫〕」に回収し、それを軍隊に払う給料の財源にした。結果的にこれはある種のインタラクティブなルールをもたらすことになった。たしかに軍隊は給料を一番たくさん出せる人物の配下に収まることになった。しかし裏を返せば、皇帝が給料を出せなくなったらすぐに別の給料を出せる皇帝に変えなければならないということでもある。こういうルールのもとでの平和は、オクタヴィアヌス以降たった50年しか続かなかった。オクタヴィアヌスからコンスタンティヌスまでの364年間で、帝位の交代は平均6年に1回生じている。そのうち軍隊に暗殺された皇帝は39人、全体の7割を占めた。

ローマ帝国末期の経済の崩壊は、十分な給料を軍隊に出せない事態を招いた。したがって、ローマ人は誰も軍人になりたがらず、ゲルマン蛮族を護衛に雇うしかなかった。最終的にローマを陥落させたのはこうした傭兵の軍隊である。タキトゥスは「皇帝の運命が事実上、軍隊の手に握られていたところにローマ帝国の秘密がある」といった。まさにその通りである。

ローマが軍の政治介入を制御できなかったのはなぜか。一つの重要な要因は末端行政機構を持たなかったからである。総督は治安維持と徴税を軍隊に頼らざるを得ず、徴収した税も軍隊への手当に変わった。こうして、本来は中央を代表すべき総督が地方の軍閥を代表する存在になってしまった。一方、秦漢の軍隊は徴税もできないし、民政に関わることもできなかった。文官制度下にあって、戦時は兵となる軍隊も戦後は農民となり、ローマ軍のように利益集団に変わることはなかった。

もう一つの重要な要因は、ローマ軍人の「国家意識（国家の一員としての帰属意識）」に問題があったことだ。モンテスキューは、ローマからはるか遠く離れてしまったため軍団は故国を忘れてしまったというが、事はそれほど単純ではない。

漢朝と西域は、遥か彼方といってもいいぐらい隔たっていた。しかし漢の将軍・班超《はんちょう》は、頼れる兵とてわずか1000名余り、自らの傑出した外交手腕と軍事的知略を頼みにしつつ、西域諸国の軍隊数十万に囲まれながら漢朝の西域支配を再建し、シルクロードを切り開いた。モンテスキューの考えに従えば、班超は独立して一国一城の主になることもできた。しかし、彼は漢朝のために30年にわたって西域経営に心をくだき、死んだら故郷に埋葬してほしいということだけを望んだ。班超のような将軍は漢朝に数多くいる。

ローマの軍人が政治に干渉することができたのは、ローマ皇帝の権力が「相対的専制」だったからであり、漢朝の皇帝権力は「絶対的専制」だったので軍人は逆らうことができなかったという人がいる。しかし、事実はそうではない。天下がおおいに乱れた後漢末期、名将・皇甫嵩《こうほすう》が軍を率いて乱を平定、戦功をたてた。皇帝は無能軟弱で奸臣が権力を牛耳っていた当時、不測の事態に備えてこのまま兵を維持し自衛すべきだと皇甫嵩に勧める者がいた。しかし、皇甫嵩は躊躇なく軍の指揮権を返上した。

皇帝にそれを強制する力がなかったときでも、皇甫嵩ら軍人が規則を守ることができたのはなぜか。自ら進んで国家の秩序に服従する責任感があったからである。藩鎮の割拠や軍閥の混戦は中国にもあるにはあったが、それが主流になったことはない。中華文明の大一統精神は「儒将」の伝統を生んだ。法家の体制と儒家のイデオロギー、両者の相乗効果で古代中国は文民統制を完成させ、これが中華文明のいま一つの重要な特徴になった。「刀剣〔軍隊〕は長袍《チャンパオ》〔文官〕の命に従う」というキケロの理想は、ローマではなく中国で実現したのである。

秦漢とローマ(6) 宗教と国家

「神の国」と「地の国」

西ローマ帝国最後の150年間、国教はキリスト教だった。

中東パレスチナで生まれた原始キリスト教は「漁夫と農民」の素朴な宗教だった。こうした最下層の貧民は、はじめからローマ各属州の眼中になかった層であり、多くのキリスト教徒にとってもローマは意識の外だった。彼らは「神の国」に属する同胞であって、「俗世の国」に属する公民ではなかった。したがって、兵役も公職に就くことも拒否した。決してローマの神々をまつらず、皇帝像に跪くこともなかった。

ローマ固有の多神教は厳格な道徳律をもっておらず(22)、ローマ社会の堕落に歯止めをかけることができなかった。国家は最下層の貧民をまったく顧みず、孤老の世話にしても、貧困者の苦しみを聞くにしても、疫病で亡くなった人の埋葬にしても、全身全霊で取り組んだのはキリスト教徒だけだった。やがて平民のみならず、追い求める理想が多少なりともあったエリート層もキリストを信じるようになった。

規律が厳格ではっきりしていたキリスト教は、辺境の都市と蛮族の支配地域で定着し、軍隊と宮廷のなかでも大量の信者を獲得していった。こうして日ごとに強大な存在となる「無形の国家」をローマ体内で徐々に形成していったのである。

ローマの執政官は当初、こうした強力な組織力と思想的求心力に恐怖を感じ、300年にわたって信徒を虐殺、迫害し続けた。しかし、コンスタンティヌス帝が懐柔策に転じ、313年にキリスト教を公認した。そして392年、テオドシウス1世が正式にキリスト教を国教にしたのである。

「国教」にした理由について、下層民と兵士の支持を得るためという説がある。

一神教は皇帝権力の絶対化に有利だったという説もある。しかし、いずれにしてもローマ皇帝の期待は現実のものにはならなかった。

コンスタンティヌスのキリスト教の公認から40年後（354年）、あるローマ官僚の家庭に1人の子供が生まれた。この子供はローマのエリート養成モデルに沿って教育された(23)。彼は最初に『聖書』を読んだとき、文体の貧弱さを理由に「キケロの優美な筆致と比べると、まったく足元にもおよばない」(24)といって批判した。

30歳になると彼は宮廷スポークスマンとして皇帝を称揚し、政策の宣伝につとめ、周囲からは「ギリシャ・ローマ古典文明の火を受け継ぐ者」とみられた。ところが、主君の覚えめでたい人生も、自由な思想も、そして何不自由ない境遇や放埓な私生活も、心の奥底の空洞を埋めることはできなかった。こうして再び『聖書』を手にしたとき、彼は言葉では言い表せない「神の啓示の瞬間」を経験することになる。このとき「彼」はもっとも偉大なキリスト教神学者アウグスティヌスになった。アウグスティヌスはキリスト教の原始的な教義を壮大な神学体系へと発展させた。原罪論、教会の恩寵論、予定論、自由意志論といった思想はキリスト教哲学を集大成するものである。

410年、西ゴート人がローマを侵攻・陥落させた。これは外来のキリスト教を信仰した「報い」ではないか――そういう声がローマでおこった。アウグスティヌスは激怒にかられて『神の国』を書き、これに反論すると同時にローマ文明を徹底的に否定した。彼はローマを指弾して次のようにいう。ローマは一度も正義を実現したことがなく、「人民のもの」(25)であったこともない、したがって共和国ではなく「大きな盗賊団」(26)に過ぎなかった、と。彼は「愛国とはすなわち栄誉である」という創成期ローマ戦士の精神さえも否定し、あらゆる栄誉は神に帰すべきだと考えた(27)。

アウグスティヌスは最後にこう締めくくっている。ローマの陥落は自業自得であり、キリスト教徒の最後の望みは神の国である。

「国家の悪」と「国家の善」

中国人の考え方からすると次のような疑問が出てくる。いくら駄目だといってもローマは母国である。その腐敗を憎むなら、制度を改革し精神を刷新すべきではないのか。異民族の侵入に際しては率先して祖国を守るべきではないのか。どうして改革の責務を果たす前から母国をあっさりと捨て、踏みにじることができるのか、と。結局のところ、ローマによって国教の地位に押し上げられたとはいえ、キリスト教にとってローマ国家の命運は常に他人事だったのである。

この点もまた、漢とローマとの違いである。一方で漢朝儒家政治の倫理道徳は「鰥寡《かんか》〔頼る人がいないやもめ〕孤独〔孤独者〕は誰もがその身を養う所がある」を為政者本来の義務とした。もう一方で、漢朝法家の末端統治もまた「国家は正義のない盗賊団」などという認識をもったことがなかった。

一神教がローマのように発展するのは中国では難しい。儒家思想は天理〔客観的道徳規範〕と人倫〔人の行動規範〕をカバーしている。したがって、儒家は「鬼神を敬してこれを遠ざく〔神霊を決して蔑ろにはしないが遠ざける。『論語』〕」態度をとり、人文と理性を立国の基本とし、中華文明を「宗教を基盤としない古代文明」にしたのである。あらゆる外来宗教は、中国伝来後に狂信性と排他性を脱ぎ捨て、国家の秩序と協調し共存しなければならなかった。ローマにキリスト教が入ってきたのと同じ時期、仏教が中国に伝来した。しかし、中国は仏教に対して、ローマがキリスト教に対してとったような軽はずみな態度――虐殺と弾圧で応えるかと思えば一転して全面的に受け入れる――をとらず、逆に「禅宗」を生み出したのである。

キリスト教の神の国は現世を離れても存在することができる。しかし、中国の天道〔天地自然の道理〕は現世において実現しなければ存在しないに等しい。儒家思想と国家意識は早くから一つに融合していたのである。儒家思想の浸透がベースにあって、中国化した宗教は例外なく「国家の価値」に深い共感を抱いた。道教には「天下太平に致る」という理想があった。仏教もまた、国家統治に優れた為政者の業績は高僧の功徳に勝るとも劣らないと考えた。

哲学の分野ではどうだろうか。キリスト教以前のギリシャ哲学には個体の概念と同時に全体〔個体を超越して存在する普遍的な真〕の概念もあった。しかし、神の権威が一切を抑え込んだ中世の1000年間を経て、西洋哲学は「個人主義」と「反全体主義」に固執するようになった。中華文明はこのような「神の権威の抑圧」を経験したことがない。したがって、中国哲学には個への執着がなく、それよりも全体の秩序に多くの関心を注いだ。

西洋近代の政治思想に「国家を悪とみなす消極的自由」というものがある。遡れば、これは「神の国」と「地の国」を分離するキリスト教の考えに端を発する。キリスト教は「ローマ国家」を悪とみなした。しかし、宗教改革ではカトリック教会もまた悪とみなされ攻撃された。神以外は「衆生みな罪人」の俗世にあって、どんな組織であれそれが「人」の手によってつくられた以上、他者を導く資格をもたない。ロックは私有財産保護のための「小さな政府」を、ルソーは公共意識に基づく「社会契約政府」を、そしてアダム・スミスは「夜警」政府（夜警国家）を主張した。これらはすべて「国家の悪」に対する警戒から出たものだ。

他方、中華文明は「国家の善」を信用した。儒家は人間の本質は善でもあり悪でもあると信じたが、「賢《けん》を見ては斉《ひと》しからんことを思い（優れた人をみれば同じようになろうと思う。『論語』）」さえすれば、いつでも自己変革を通じてよりよい国家をつくりあげることができると考えた。儒法並立を確立して以降の漢朝の隆盛は、当時の人々の記憶と憧憬を通じて「すばらしい国」をつくるという信念に変わり、歴代王朝によって後世へと引き継がれていったのである。

（脇屋克仁訳）

（1）以下の文献を参照。湖南省文物考古研究所他「湖南龍山里耶戦国——秦代古代一号井発掘簡報」『文物』2003年第1期、P4〜P35。同「湘西里耶秦代簡牘選釈」『中国歴史文物』2003年第1期、P8〜P25。湖南省文物考古研究所『里耶発掘報告』長沙・岳麓書社、2007年、P179〜P217。

（2）『里耶秦簡・吏物故名籍』簡8−809、簡8−1610、簡8−938、簡8−1144。

（3）Nic Fields『The Roman Army : the Civil Wars 88-31 BC』P53。

（4）デニス・C・トゥウィチェット、マイケル・レーヴェ編、楊品泉等訳『剣橋中国秦漢史』中国社会科学出版社、1992年、P211。

（5）H・F・ヨルヴィチ、バリー・ニコラス著、薛軍訳『羅馬法研究歴史導論』商務印書館、2013年、P4。

（6）プルタルコス著、席代岳訳『希臘羅馬名人伝』（下）、吉林出版集団、2009年、P1581。

（7）韓兆琦訳注『史記・平準書』中華書局、2010年、P2344。

（8）前漢王朝が成立した年、中央が直接統治していたのは15の郡にすぎず、これは全国のわずか3分の1だった。他方、斉、楚、呉のような大諸侯は5〜6の郡と数十の都市を擁していた。景帝の時代には呉楚七国の乱が起こり、武帝の時代にも淮南王、衡山王の乱があった。

（9）「一条，強宗豪右，田宅踰制，以強凌弱，以衆暴寡。二条，二千石不奉詔書，遵承典制，倍公向私，旁詔守利，侵漁百姓，聚斂為姦。三条，二千石不恤疑獄，風厲殺人，怒則任刑，喜則任賞，煩擾苛暴，剥戮黎元，為百姓所疾，山崩石裂，妖祥訛言。四条，二千石選置不平，苟阿所愛，蔽賢寵頑。五条，二千石子弟恃怙栄勢，請託所監。六条，二千石違公下比，阿附豪強，通行貨賂，割損政令」顔師古注『漢書』中華書局、1999年、P623〜P624。〔百官公卿表第七上「武帝元封五

年初置部刺史，掌奉詔条察州」につけられた顔師古の注で、「六条問事」といわれる。一条で強宗豪右すなわち豪族の、二条以下は二千石すなわち郡太守の不法行為を列挙しており、これを監察対象とした〕

(10)「卜式拔於芻牧，弘羊擢於賈豎，衛青奮於奴僕，日磾出於降虜，漢之得人，於茲為盛。儒雅則公孫弘、董仲舒、兒寛，篤行則石建、石慶。質直則汲黯、卜式。推賢則韓安國、鄭當時。定令則趙禹、張湯，文章則司馬遷、相如，滑稽則東方朔、枚皋，應對則嚴助、朱買臣，暦數則唐都、洛下閎，協律則李延年，運籌則桑弘羊，奉使則張騫、蘇武，將率則衛青、霍去病，受遺則霍光、金日磾，其餘不可勝紀」顔師古注『漢書』中華書局、1999年、P1998〜P1999。〔公孫弘卜式兒寛伝第二十八からの引用、傍線は人物名でいずれも武帝が登用した官吏。それぞれの出自や業績が書かれている〕

(11)韓兆琦訳注『史記・汲鄭列伝』中華書局、2010年、P7100。

(12)韓兆琦訳注『史記・漢興以来諸侯王年表』中華書局、2010年、P1492。

(13)韓兆琦訳注『史記・貨殖列伝』中華書局、2010年、P7662。

(14)韓兆琦訳注『史記・秦楚之際月表』中華書局、2010年、P1437。

(15)エドワード・クックは気候システムに関するある仮説を提起、4世紀に中央アジアで干害が発生したのとほとんど同時にフン族（the Huns）がはじめて西に移動しローマ帝国に侵入したとした。Nicola Di Cosmo、Neil Pederson、Edward R. Cook「Environmental Stress and Steppe Nomads：Rethinking the History of the Uyghur Empire（744−840）with Paleoclimate Data」『Journal of Interdisciplinary History』XLVIII：4（Spring、2018）参照。

(16)「臣愚一位陛下得胡人，皆以為奴婢以賜従軍死事者家……今縦不能，渾邪率数万之衆来降，虚府庫賞賜，発良民侍養，譬若奉驕子。……是所謂，庇其葉而傷其枝，者也」韓兆琦訳注『史記・汲鄭列伝』中華書局、2010年、P7113。〔匈奴を奴隷にして戦死した兵の家に渡すことは今すぐできないにしても……渾邪王が降伏したのに国庫から報償を与え、わが国の良民に世話をさせるのはわがまま息子を甘やかすのと同じで……「葉を大切にして枝を傷つける」ことだ、がおおよその意味〕

(17)「呉楚七国兵起時，長安中列侯封君行従軍旅，齎貸子銭，子銭家以為侯邑国在関東，関東成敗未決，莫肯与」韓兆琦訳注『史記・貨殖列伝』中華書局、2010年、P7620〜P7621。〔呉楚七国の乱のとき、諸侯大名は従軍のため金を借りなければならなかったが、金貸業者はどちらが戦いに勝つかわからないといって誰も貸さなかった、がおおよその意味〕

(18)Nic Fields『The Roman Army：the Civil Wars 88-31 BC』P53。

(19)銭穆『国史大綱』商務印書館、1991年、P128。

(20)ファイナー著、馬百亮、王震訳『統治史』(巻一)華東師範大学出版社、2010年、P362。

(21)ペリー・アンダーソン著、郭方・劉健訳『従古代到封建主義的過渡』上海人民出版社、2001年、P137。

(22)アウグスティヌス著、王暁朝訳『上帝之城』人民出版社、2006年、P53。

(23)アウグスティヌス著、周士良訳『懺悔録』商務印書館、1996年、P40。

(24)アウグスティヌス著、周士良訳『懺悔録』商務印書館、1996年、P41。

(25)アウグスティヌス著、王暁朝訳『上帝之城』人民出版社、2006年、P76〜P77。

(26)アウグスティヌス著、王暁朝訳『上帝之城』人民出版社、2006年、P144。

(27)アウグスティヌス著、王暁朝訳『上帝之城』人民出版社、2006年、P201。

中国の五胡侵入と欧州の蛮族侵入

西暦300年から600年、中国とローマは似たような歴史的状況に直面していた。どちらも中央政権が衰退し、周辺エスニック集団の大規模な襲来に遭っていたのだ。

中国では、匈奴、鮮卑《せんぴ》、羯《けつ》、氐《てい》、羌《きょう》の五胡が次々と南下し、幾多の政権を建てた。ローマでは、西ゴート、東ゴート、ヴァンダル、ブルグンド、フランク、ランゴバルドなどのゲルマン部族が潮の如く領内に押し寄せ、それぞれが「蛮族の王国」(barbarian kingdoms)を建てた。

しかし、似たような軌跡をたどった双方の歴史はまったく異なる結果を生んだ。中国の場合、五胡十六国のなかで最初に氐族の前秦が、後に鮮卑拓跋《たくばつ》部の北魏が華北全域を統一、度重なる分裂と抗争はあったが最後にはやはり内的再編・統合を実現し、それまで正統を代表していた南朝とも融合、秦漢の中央集権大規模国家体制を引き継ぎ、胡漢融合の大統一王朝・隋唐の礎を築いたのである。

一方、いくつかの比較的強大な蛮族の王国に数百年間制覇された欧州は、フランクのように一つの王国が西欧をおおむね統一したこともあり、また、西ローマ帝国の衣鉢を継ぐ見込みもそこには十分あったが、結局は内在する分割統治の論理のせいで個々の封建国家へと分裂していった。まがりなりにも「統一」が保たれていたとしたら、それはすべて「キリスト教会」の人心統合力のおかげである。

この歴史の分岐は、中国と西洋の歴史的歩みの違いを具現化することになった。その違いはエスニック概念から政治制度にまでおよぶ。なかでも文明理論の違いが一番のカギとなる。

中国の五胡侵入と欧州の蛮族侵入(1)　五胡侵入

南進の戦い

中国とローマの運命は、西暦89年の燕然山《えんぜん》〔現モンゴルのハンガイ山脈。前漢時代より中国と匈奴の戦争を象徴する地〕の役を機に大きく変わる。

この戦いを経て北匈奴は欧州へと西進し、後にゲルマン諸部族がローマ国境内に侵入する重要な推進力になった(1)。一方、南匈奴は中原に南下し、五胡侵入の先駆けになる。

2017年、中国・モンゴル両国の考古学者が「燕然山の銘」を発見した。匈奴に完勝した漢の威徳を班固が作文し石に刻したものである。この石碑といえば「明犯強漢者、雖遠必誅〔我が漢朝を犯す者は、遠きにありても必ず誅せん〕」

と歓呼するのが漢人としての意識を持っている人の常である。しかし、南匈奴の単于《ぜんう》が最初に北匈奴の内乱を察知し、自ら漢王朝に出兵を進言したというのが歴史の真実である(2)。竇憲《とうけん》率いる4万6000の騎兵のうち3万は南匈奴人、残り1万6000も半分は羌族だった(3)。漢王朝が中原に南下する遊牧エスニック集団を率い、共同で北匈奴を西に追いやったといえる。

これは後世もたびたび重視されてきた歴史の一幕である。世界の突厥《とっけつ》学者が文化遺産の嚆矢に挙げる「キョル・テギン〔闕特勤〕石碑」の突厥碑文には、突厥可汗《カガン》の悲哀と怨恨が読み取れる。「ウイグルはなぜ唐と手を組んで自分を攻めようとするのか。草原遊牧民はなぜいつも中原に移って暮らそうとするのか」(4)

これは遊牧社会内の不協和音だろうか。そうではない。地理・気候でいえば、草原に寒波が到来するたびに北方の遊牧民は南に移動する。資源の賦存量でいえば、草原地域が養える人口は農耕地域のわずか10分の1、生きるために食糧、茶葉、絹・麻織物を中原から得ることや盛んに交易をおこなうことは遊牧民にとって必要不可欠だった。周辺エスニック集団に対する中原の強大な吸引力の一つが先進的な農業と手工業である(5)。最北のエスニック集団が西へと活路を求めたのと違い、漠南〔蒙古高原の砂漠地帯以南〕のエスニック集団はむしろ中原との融合を求めた。華北の経済・交通網を中原と共有する彼らは、飢饉の年に食糧を得るのも、低コストの交易をおこなうのもいっそう容易だった。社会経済の共同体が幾度も形成された所以である。こうして1500年の時を経るうちに、地理から経済まで、民俗から言語まで、そして文化から制度まで、最終的には東北アジア全域を包括する1個の政治共同体が形成されたのである。

燕然山の役以降、南匈奴は漢族の地に入り込み、その北部辺境で遊牧生活を営んだ。漢王朝の懐柔策により税を免れたが、郡県制の統治は受け入れなければならなかった(6)。今日、寧夏、青海、内モンゴル、陝西、山西の各省・自治区で南匈奴人の墓が発見されているが、漢式のものもあれば、草原の「頭蹄葬〔牛、馬、羊などの頭や蹄を副葬」もある。さらに青海省では諸侯に封ぜられた匈奴首領の駝鈕《だちゅう》銅印「漢匈奴帰義親漢長」が出土している(7)。胡漢の文化が融合していたことがわかる。南匈奴の南下と相前後して内陸部に移動したものに西北の氐と羌、東北の鮮卑、漠北の羯がある。三国時代後半は中原人口の急減により、魏も晋も絶えず五胡を「招撫《しょうぶ》」した。100年間で内陸に移動した五胡の数は数百万人、内訳は匈奴が70万、羌が80万、氐が100万、鮮卑が250万である(8)。西晋の「八王の乱」後、華北総人口1500万人のうち漢族はわずか3分の1を占めていたにすぎない。「漢化」はすなわち「同化」であり、「巨大エスニック集団」が人口の絶対的優位に依拠しつつ「少数エスニック集団」の生活様式を変えたという誤った理解をする人もいる(9)。しかし、歴史の真実は異なる。五胡は軍事的に優勢だっただけではなく、人口でも優勢だった(10)。慣れ親しんだ習慣に従って「中原で放牧する」ことも、漢族を「胡化」することもまったく可能だった。しかし、彼らは自ら進んで「漢化の道」を選んだのである。

漢化の道

漢化の道は南匈奴に始まる。

西晋を滅ぼし五胡最初の王朝を建てたのは南匈奴の劉淵である。彼は匈奴の南単于である羌渠《きゅうきょ》の曽孫で、漢と匈奴の姻戚関係政策により劉氏に改姓した。貴族の子弟として晋朝宮廷に遊学した劉淵は、『詩経』『尚書』を読み、『史記』『漢書』を学び、『春秋左氏伝』と『孫呉兵法』をとくに好んだという。劉淵は山西省南部を割拠して帝位についたにもかかわらず、北方の先祖伝来の事業を再興しようとはせず、「漢」を国号として天下を統一することに固執した。そのため自らを劉邦〔漢の高祖〕、劉秀〔漢の光武帝〕、劉備の後継者と名乗り、「漢氏の甥」「亡き兄の後を弟が継ぐ」〔劉淵の先祖・冒頓が漢王朝と兄弟の契りを結び、皇族を妻にしていた〕ことの合法性を証明するために、「どうしようもない人物」といわれた劉禅〔劉備の子、蜀漢2代皇帝〕の位牌を祀ることまでした。

しかし、劉淵の権力は長続きせず、羯の石勒《せきろう》によって滅ぼされた。「鼻が高く髭が濃い」羯族はサカ族に属し、かつては「別部」「雑胡」として匈奴に従属していた。遊牧貴族として宮廷にまぎれ込んだ劉淵と異なり、石勒は農奴出身、社会の底辺を彷徨っていた。しかし、石勒もまた漢の文化を愛好した。字が読めないのに「高尚な文学趣味」をもち、好んで『漢書』を人に読んでもらったという。息子の石弘《せきこう》は父の差配ですっかり読書人となった。しかし、石勒も志半ばで斃れ、華北統一の大事業は残忍な子孫によって途絶させられた。後趙〔石勒の建てた国名〕の廃墟からは、鮮卑慕容《ぼよう》部の前燕と氐族の前秦が生まれている。

五胡政権のなかで最初に華北を統一したのは前秦の苻堅《ふけん》である。前秦は秦の関中〔現在の陝西省西安市を中心とする一帯〕を拠点に発展し、一時その領土は「東極滄海、西併亀茲、南包襄陽、北尽沙漠〔東の果ては海、西は亀茲（クチャ）を併合、南は襄陽を含み、北は砂漠に至る〕」といわれた。しかし、晋朝打倒を急いだあまりわずか数年で滅亡した。前秦の「屍」は、羌姚《よう》部の後秦、鮮卑慕容部の後燕、匈奴赫連《かくれん》部の大夏へと分裂していった。

入り乱れた争いのなか、鮮卑拓跋部がモンゴル草原から一挙に打って出て、群雄を打ち破り、国号を魏〔北魏〕と定めた。皇帝3代にわたって国家経営に精励し、100年以上混乱を極めた華北をついに統一した。後に北魏は北周と北斉に分裂するが、再び北周によって統一され、しかもこれが全国統一王朝・隋唐の礎になったのである。

前秦と北魏――この二つは中国全土の統一に最も近づいた政権であり、漢化のレベルが最も高く、漢化のスタンスを最も堅持した政権である。

苻堅は代々酒好きの氏族家庭に生まれ、日々戦争に明け暮れる豪傑だったにもかかわらず、子どもの頃から経書、史書を耽読していた。帝位に即してからは文教政策に力を入れ、自ら太学《たいがく》〔官吏養成の最高学府〕に赴き、官吏の卵に経書の試験をおこなっていたという。道徳上は「周孔微言〔周公と孔子の奥深い道理〕」に恥じることなく、実践上は「漢之二武〔武帝と光武帝〕」を超えるのが彼の目標だった。苻堅は西域を征服しても汗血馬〔千里を走り、ひとたび走れば血の汗を流すという名馬〕を送り返し、この名馬目当てに大宛国〔フェルガナ〕を攻めた武帝より自分の方がワンランク上であることを示そうとした。また、東晋を攻撃しながらその君臣のために朝廷ポストを用意し、彼らの邸宅を補修、「興滅継絶〔滅亡した国を復興し、絶えた家を継ぐ〕」の周政に倣おうとした。鮮卑慕容部を捕虜にしても決して殺そうとはせず、慕容暐《い》と慕容垂《すい》を臣下にとりたてることもしている。隠れた危険は取り除くべしとあまたの人が進言しても、苻堅は「徳を以て人を従える」という範をうちたてることにこだわった(11)。果たせるかな、鮮卑の豪族たちは苻堅が淝《ひ》水の戦いに敗れるやいなや反旗を翻し、後燕と西燕を建てることになる。「仁義」に対する苻堅のこだわりぶりは「不肯半渡而撃〔半ば渡らしめて撃つことを肯せず。仁義にもとる戦いを好まないこと〕」の宋・襄公だと皮肉られたこともある。

前秦の滅亡は「行き過ぎた漢化」のせいだという人もいるが、後の鮮卑拓跋部・北魏は華北を統一してからむしろ前秦以上に徹底して「漢化」を推し進めた。「為国之道、文武兼用〔国を為むるの道は文武兼用なり〕」とは道武帝・拓跋珪《けい》の言葉である。太武帝・拓跋燾《とう》は漢人士大夫を数多く重用し、河西〔黄河上流の西、甘粛省一帯〕の学者を首都に移住させ、鮮卑の子弟に儒教経典を学ばせた。「こうして多くの人々が徳を磨くことに励み、儒学が再興した」と伝えられている。孝文帝・拓跋宏《こう》の漢化政策はもっと「体制的」だった。洛陽に遷都し、西晋・東晋、南朝の官僚制度を模倣、鮮卑の家柄を定め〔姓族分定、家格を定めて任官の基準にした〕、胡姓を漢姓に、胡語を漢語に変えるよう命じた。そして、自ら率先して同族子弟を漢族と通婚させた。

北魏が華北を統一できたのも、そこから発展した北周と隋が中国全土を統一できたのも、すべて「漢の習俗・風習に改め、漢の伝統儀礼を実施」したからだという歴史家がいるが、必ずしもそうとは限らない。漢の風習、漢の儀礼というが、自然にそれを備えていた南朝は中国を統一することができなかった。北魏がうまくいった最も重要な要因は、「大一統」精神の政治制度改革を遂行し、秦漢の儒法国家体制を再創造したことにある。

統一の再創造

西晋崩壊後の天災、人災で、末端行政は壊滅状態だった。華北の至る所に「塢堡《うほ》〔村人達が自衛のために築いた砦または防御用の壁に囲まれた集落〕」が築かれ、人々は強力な豪族の下に集まり自衛していた。戦乱は土地の荒廃を招き、流民化する者がいる一方で、横暴な豪族がこの機に乗じて広大な土地を暴力的に占拠した。貧しい者はますます貧しくなり、富める者はますます富む状態だった。

485年、北魏は均田制改革を実施、無主の荒地をいったん国有にしてから貧民に均等に配分した。これらの土地には「露田」と「桑田」がある。「露田」は地租の対象となる田畑で、死亡したときに国に返還、そのあと国が次の世代に再分配する。一方「桑田」は桑や麻などの栽培地で、返還不要、子孫に継がせることを許した。さらに均田制には、老人や子供、障害者や寡婦に対する土地支給にも定めがあった。この制度が実施されて以降、たしかに強者は依然として強者のままだったが、弱者もまた自分の足場となる土地を得た。北魏から時代を下ること唐の中期、貞観の治・開元の治の土地制度も、その基礎はすべて均田制である。

均田制と同時におこなわれた重要な改革が三長制である。その矛先は乱世の豪族割拠だった。強力な豪族はすなわち「宗主」であり、朝廷支配は末端に届かず、「宗主」を通じて間接的に支配するしかなかった。これを「宗主督護制」という(12)。三長制はこれを廃止し、秦漢式の「編戸斉民(戸籍を編んで民の情報を整理する)」すなわち末端行政機構を再建するものだった(5戸を1隣、5隣を1里、5里を1党として、それぞれに隣長・里長・党長を置いた)(13)。加えて村民から郷官(郷村の官吏)を選抜し(14)、徴税と民政全般に責任をもたせた。

均田制を立案したのは漢族の儒者である李安世、三長制を立案したのも漢人士大夫の李沖である。均田制を通じて北魏は、充分な戸籍制度、租税制度、兵力供給源を得た。三長制を通じて封建的統治を終わらせ、末端行政機構を再建した。そして官僚制を通じて中央集権的な行政体系を復活させた。「漢衣を着る」「漢の儀礼に改める」といった形式よりもこれらのほうが「漢制〔漢の制度〕」の本質である。西晋滅亡から170年、「漢制」はなんと少数民族王朝の手で中原に蘇ったのである。まさに歴史学者の銭穆《せんぼく》が「元来、部族的封建制度をもって立国した北魏だったが、三長制、均田制の実施に及んで、氏族封建制から郡県制統一国家へと次第に変わっていった。それにあわせて胡漢の力関係も逆転していった」(15)と言ったとおりである。わずか30年の間に、北魏の人口と兵力は南朝を凌駕した。520年、北魏の人口は西晋太康年間の倍、3500万に迫った(16)。北魏の軍隊には大量の漢族農民が加わり、「戦をするのは鮮卑、田を耕すのは漢族」という以前の住み分けを打破した。

北魏が「漢制」を引き継いだ頃、東晋と南朝のそれはむしろ形骸化に向かっていた。後漢に始まる察挙制〔郷挙里選〕は、四世三公〔四世代にわたって三公すなわち高位高官を輩出する〕の経学門閥と槃根錯節《ばんこんさくせつ》〔解体不可能なほど社会にはびこっている〕の官僚豪族を生み出し、魏晋の時代になってそれが門閥政治へと発展していった。東晋〔司馬睿〕政権の樹立は名門貴族〔特に王導、王敦《とん》ら王氏一族〕の支持に負うところが大きかったため、「王馬〔王氏と司馬氏〕、天下を共治す」という状況が出来した。東晋・南朝の時期にはさらに奇異な状況が生まれた。華北から南下してきた流民の数は1000万を超え、また、江南経済は繁栄を失うことがなかったにもかかわらず、「呉から陳までの六朝、300年の長い治世にあって、江南の人口は戸籍上ほとんど増えていない」(17)。南に流れてきたこうした人々は、名門の家柄を捨てて使用人となり、政府に登録されなかったため、朝廷は一方で人口を把握できず、他方で多くの税源を失った。門閥政治は清談を奨励し、優雅このうえない魏晋の気風と玄学〔道儒融合の思弁哲学〕を生み出した。社会の衰退と芸術のピークが同時に訪れたのである。

陳寅恪〔歴史学者〕も銭穆も、後の隋唐王朝は北朝の政治制度と南朝の礼楽文化を全体的に継承したと考える。南朝の旧套墨守に比べれば、北朝の均田制や府兵制などにみられる革新の方が「漢制」の「大一統」精神に合致していた。隋が初の全国戸籍調査（団貌《だんぼう》）をスムーズに実施できたのも、科挙制度を創設できたのも、こうした精神のおかげである。陳寅恪は「塞外〔万里の長城以北〕の粗野だが有能な血が、文化的に退廃した中原の体に注がれた」(18)というが、注がれたのは「血」というよりもむしろ改革と革新の精神であろう。

南朝に対する北朝の勝利は、文明に対する野蛮の勝利ではなく、「大一統」精神を引き継ぎ得た者の勝利であり、硬直的で守旧的な「旧漢制」に対する、胡漢双方の要素を同時に取り入れた「新漢制」の勝利である。名門に対する態度も同様である。華北は江南より現実的な政治力を重視した。北朝は官吏の考課で実績をみたからである。経学もしかりだ。北朝は実学を重視し、南朝は玄学を重視した。儒家にしてもそうだ。北朝は中央でも末端でも大量に登用したが、南朝は末期になってようやく寒人〔低い家柄出身の士族〕を官吏、軍師に取り入れただけである。

南朝にも決してみるべきものがなかったわけではない。後に隋唐が採用した「三省六部制」の原型は南朝発祥である。また、東晋にしても南朝にしても「大一統」の理念を一度もいい加減にしたことがない。東ローマに比べればその点は強固だった。ビザンツ帝国千年の歴史で、西方統一のための出兵は事実上たった1回だった。しかし、東晋・南朝の272年間、東晋の祖逖《そてき》、庾亮《ゆりょう》、桓温《かんおん》、謝安《しゃあん》にはじまり宋の武帝・劉裕と文帝・劉義隆の父子、梁の武帝・蕭衍《しょうえん》、陳の宣帝・陳頊《ちんぎょく》……北伐は10回を超える。いずれも成功することはなかったが、誰一人として公に断念することはなかった。夏華の大地ではいかなる統治者も、「大一統」を放棄しようとした瞬間にその合法性を失うも同然だったのである。

漢化とローマ化

五胡があくまで「漢化」にこだわったのは、漢文明の神髄が長期安定的な大規模政治体の構築にあったからである。遊牧民は軍事的には優位だったとはいえ、漢文明が歴史的に培ってきた制度を吸収しなかったら、「正統」と称して憚らない南朝に勝利できなかっただろう。「漢制」は「漢族」の慣習法ではなく、一切の私心を排した理性的な制度である。異民族と漢族の区別は血筋や習俗によるのではなく、徳と制度によるものだ。漢族だからといって「漢制」の精神を継承し発揚することに消極的ならば、華夏の継承者たる資格を失う。

「漢化」は「漢族によって同化させられる」という意味ではなく、「漢制」を取り入れるという意味である。前漢初期に「漢族」は存在しない。あったのは「七国（呉・楚・趙など七つの諸侯王国）の人」だけである。司馬遷は『史記』を書く際、七国の区別を使って各地の人々のさまざまな性質を描いた。「漢族」が「漢王朝臣民」の自称に変化したのは漢の武帝以降である。なぜなら武帝が、秦の法家制度、魯の儒家思想、斉の黄老思想と管子の経済思想、楚の文化芸術、韓・魏の縦横刑名の学、燕・趙の軍事制度、これらをすべて一体的に融合し、「大一統」の「漢制」をつくったからである。以来、こうした制度や文明にアイデンティティをもつ人を「漢族」というようになった。政治制度をもって国家＝民族という概念を構築する――「漢族」はその最も早い実践例だといえる。こうした一連の制度は秦漢に始まるが、以降は中華世界の専有物になることなく、東アジア全域の古典文明遺産になった。漢字も単なる「漢族の文字」ではなく、東アジア古典文明の重要な伝達手段である。「大一統」を成し遂げた経験と教訓はすべて漢文の法典と史書に記録されているので、それを学ばずして先業を引き継ぎ発展させることはできない。五胡が自発的に漢化したのは、決して自分たちの祖先を忘れたからでもなければ自己を卑下したからでもない。部族政治の先にある、それよりもはるかに大きなスケールの政治体を建設する壮大な志をもっていたからである。

「漢化」とよく似た概念に「ローマ化」がある。古代ローマの制度はローマ人の創造であるが、地中海文明の古典的なありようになった。ラテン語は「ローマ人の言語」ではなく、欧州古典文化の伝達手段である(19)。ゲルマン「蛮族の王国」の多くが口語としてのラテン語を放棄し、ゲルマンの各エスニック集団が部族・方言の違い故に「別々の王国」「別々の言語」へと分裂していったとき、まさにそのときからラテン語を伝達手段とするローマ文明は野蛮の大波にのまれ、カトリック教会の権力のもとに埋もれていったのである。ローマ法が復活するのはようやく12世紀になってから(20)、「人文主義」と「国家理性」(21)が再発見されるのは14世紀から15世紀にかけてのルネサンス期になってからである。しかも「再発見」の源は欧州本土にない。十字軍がコンスタンティノープルから古代ギリシャ・ローマの手稿を持ち帰らなければ、アラビア人がプラトンやアリストテレスの古典を翻訳しなければ、欧州でルネッサンスが興るのは難しかっただろうし、啓蒙運動もなかっただろう。つまり、周辺エスニック集団と「本拠地」の民が共同で後世に伝えた漢文明とは異なり、ギリシャ・ローマの古典文明は外部世界からの「逆輸入」で取り戻されたといえる。

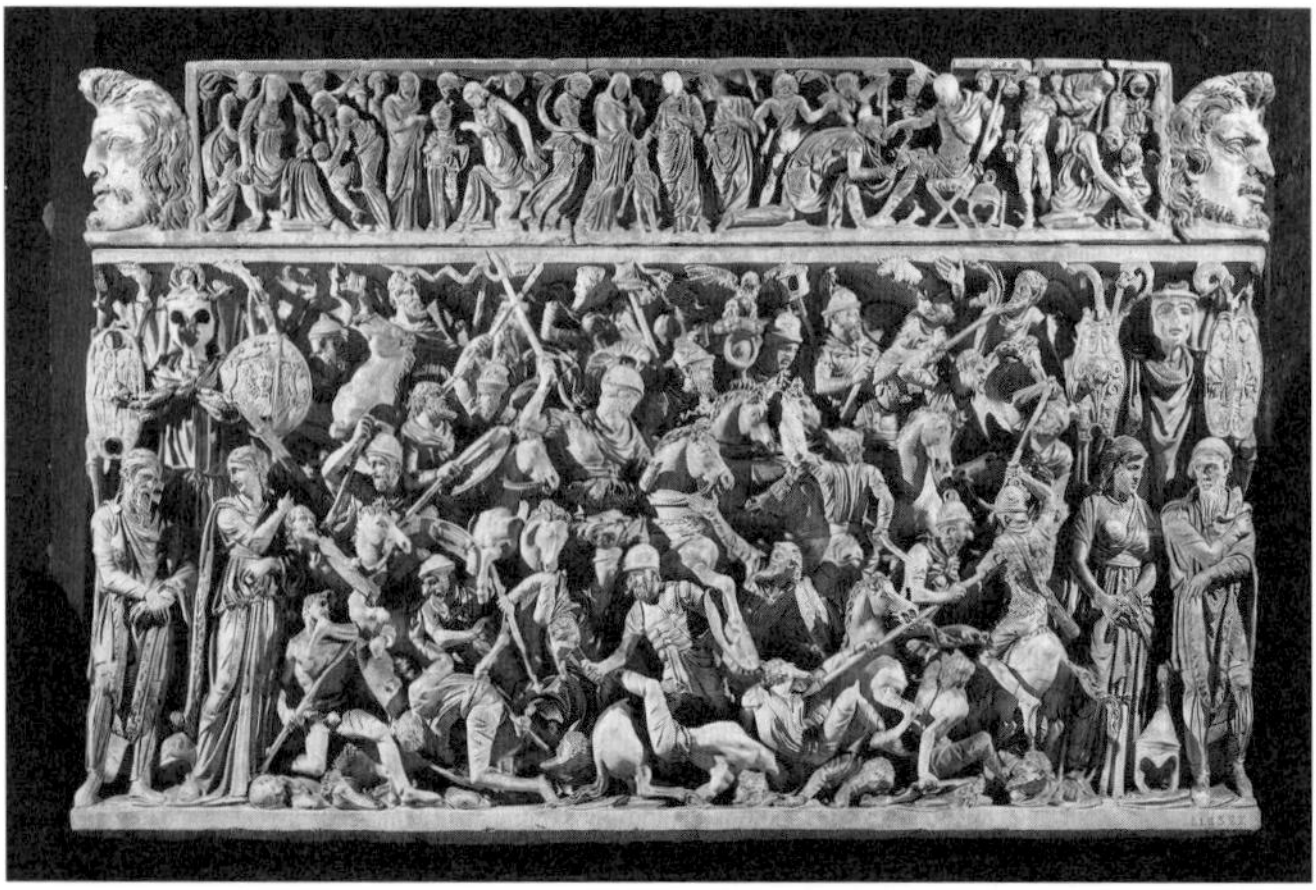

紀元2世紀の石棺のレリーフ。ローマ兵と異民族の戦争が記録されている。（視覚中国）

明時代の陳洪綬の『宣文君授経図』：前秦の苻堅が宣文君に礼儀と音楽の伝授を請う。宣文君は前秦の経学者で中国古代史上初の女性博士である。（FOTOE）

三国両晋南北朝時代の絵が描かれたレンガ。（視覚中国）

北魏の彩色された儀仗隊の陶俑。（中国新聞社）

（1）北匈奴西進後の変遷にはいまなお議論がある。ただ、北匈奴と後のフン族を直接結びつけて考える学者は多い。清末の歴史学者・洪均は『元史訳文補正』で、西洋の古い書物に出てくる「フン族」と匈奴のイメージが非常によく似ていると指摘している。18世紀、フランスの学者ド・ギーニュはハンガリー人と匈奴の共通点を発見、『フン族通史』でハンガリー人の祖先は遠方よりやってきた北匈奴だという説を提起し、ギボンも『ローマ帝国衰亡史』でこの説を採り、ドイツの著名な中国学者ヒルトも『フン族研究』でこの説に賛同している。ベルンシュテイン『ケンコール古墳群』と江上波夫「匈奴・フン同族論」もそれぞれ古墳のDNA分析、フン族活動地域から出土した漢式／匈奴式の副葬品を通して同族論に有力な支持を与えている。内田吟風「フン匈奴同族論研究小史」〔中国語訳〕『北方民族史与蒙古史訳文集』雲南人民出版社、2003年所収参照。

（2）『後漢書・南匈奴伝』に、章和2年〔88年〕南単于が次のように上奏したとある。「北虜大乱、加以飢蝗、降者前后而至」「今所新降虚渠等詣臣自言：去歳三月中発虜庭、北単于創刈南兵、又畏丁令、鮮卑、遁逃遠去、依安侯河西；……臣与諸王骨都侯及新降渠帥雑議方略、皆曰：宜及北虜分争、出兵討伐、破北成南、併為一国、令漢家長無北念」。『後漢書・南匈奴伝』中華書局、1965年、P2952。

（3）「憲与秉各将四千騎、及南匈奴左穀蠡王師子万騎、出朔方鶏鹿塞；南単于屯屠河、将万余騎、出満夷穀；度遼将軍鄧鴻及縁辺義従羌胡八千騎、与左賢王安国万騎、出稒陽塞。皆会涿邪山」。范曄撰、李賢他注『後漢書・竇憲伝』中華書局、1965年。

（4）「南方唐家世為吾敵、北方之敵、則為Baz可汗及九姓回鶻；黠戛斯、骨利干、三十姓韃靼、契丹及Tatabi、皆吾敵也」「噫、吾突厥民衆、彼悪人者将従而施其煽誘、曰：『其遠居者、彼等予以悪贈品、其居近者、予以佳物』。彼等如此誘惑之。愚人為此言所動、遂南遷与之接近、爾輩中在彼淪亡者、何可勝数」。韓儒林『突厥文闕特勤碑訳注』北平国立北平研究院総弁事処出版課、活版本、１９３５年。

（5）費孝通「中華民族的多元一体格局」『北京大学学報(哲学社会科学版)』１９８９年第4期。

（6）『晋書・四夷列伝』中華書局、１９８４年、P２５４８。

（7）１９７３年、青海省大通県後子河郷上孫家寨村の漢式古墳群1号墓から出土した角形の駝鈕銅印。「漢匈奴帰義親漢長」の8文字が篆書体で彫られており、後漢中央政府が匈奴首領に贈った官印とされる。「帰義」とは、漢王朝が配下の周辺エスニック集団首領に与えた称号。

（8）朱大渭「十六国北朝各少数民族融入漢族総人口数考」『朱大渭説魏晋南北朝』上海科学技術文献出版社、２００９年。

（9）『Racial and Ethnic Relations』Boston, Holbrook １９７０年、P１１７～P１１９。

（10）江統『徙戎論』によると、当時の関中は胡漢人口比が1対1だったが、東北地区になると胡族の人口比がさらに高くなった。

（11）「修徳則禳災。苟求諸己、何惧外患焉」。『晋書・苻堅載記』

（12）「魏初不立三長、故民多蔭附、蔭附者皆無官役、豪強征斂倍于公賦」。『魏書・食貨志』

（13）『資治通鑑』巻１３８。

（14）「取郷人強謹者」。『資治通鑑』巻１３８。

(15)銭穆『国史大綱』商務印書館、1996年、P336。
(16)『魏書・地形志』総序。
(17)唐長孺『魏晋南北朝隋唐史三論』武漢大学出版社、1992年、P88。
(18)陳寅恪『金明館叢稿二編』三聯書店、2001年、P344。
(19)欧州諸王国は8世紀から9世紀にかけて各自の方言と書面語を生み出していたが、それでも中世末まで政府公用語、記録言語、教会言語はラテン語であり、ゲルマンの書面語は補助的に用いられていたにすぎない。ピーター・バーク著、李霄翔・李魯・楊豫訳『語言的文化史：近代早期欧洲的語言和共同体』北京大学出版社、2007年、P107。
(20)1135年、イタリア北部でユスティニアヌス帝『学説彙纂』の原稿が再発見されたのをきっかけに「ローマ法復興運動」が興った。
(21)マキャベリの「国家理性」(Ragione di Stato)説。マキャベリ著、藩漢典訳『君主論』商務印書館、1985年、P18。

中国の五胡侵入と欧州の蛮族侵入(2) 蛮族侵入

部族単位のローカル王国

蛮族は突然ローマにやって来たのではない。漢族が遠方エスニック集団を「夷狄《いてき》」と呼んだのと同じく、ライン・ドナウ両河川を隔てた異族集団をローマ人は「蛮族」、後に「ゲルマン人」と呼んでいた。漢王朝と同じくローマ帝国はこの両河川に沿って「ゲルマンの長城」を築き、ゲルマン諸部族との「平和共存」をなんとか保っていた。しかし、北匈奴が東方の地を追われると、草原各部族はフン族首領の「鞭」に追い立てられるようにして繰り返しこの脆弱な長城を突破するようになる。ゲルマン人はローマ帝国の懐深くまで侵入し、略奪、殺戮をはたらき、北アフリカやヒスパニアなどの穀倉地帯、銀鉱地帯を占領した。こうしてローマ帝国の人口、税基盤、軍事力は衰退の一途をたどった。420年になると、西ローマ心臓部で防衛軍といえるものはわずか9万の野戦軍だけになった(22)。各蛮族は占領地に次々と国を建てた。スエビ人はヒスパニア北西部を(409年)、ヴァンダル人は北アフリカを(439年)、ブルグンド人はフランス北東部を(457年)、アングロ＝サクソン人はブリテン島を(449年)、それぞれ占領した。

これらはすべて部族単位のローカル小王国だったが、文字通り「大王国」をうちたてたのがゴート人とフランク人である。東西ゴート王国は南欧全域(ヒスパニア、イタリア、フランス南部)を占領し(23)、フランク人は西欧の大部分を征服した。

歴史家の統計をみると、476年の西ローマ帝国滅亡に関与した蛮族はわずか12万人である(24)。後に北アフリカに侵入、占領したヴァンダル人が8万、ガリアに侵入したフランク人、アレマン人、ブルグンド人がそれぞれ10万、テオドリックがイタリアにひきつれてきた東ゴート人が30万いる。ここから、ローマ帝国に侵入した蛮族の総人口は75万人から100万人の間と類推される(25)。

他方、西晋・東晋に南下したエスニック集団の人口は数百万を数える。ローマ帝国と西晋の人口規模がほぼ同じだと考えれば、ローマに侵入したゲルマン諸族は数のうえでローマ人にはるかにおよばず、五胡に比べていっそう「ローマ化」しやすかったはずだし、漢文明同様ローマ文明も西欧の地で生き延びたはずである。ところが事実は逆である。これらゲルマン王国は暫時「部分的にローマ化」した個別事例を除いて、ほとんどすべてが「ローマ化」をきれいさっぱり拒絶した。

例えばゴート人は、建国後ただちに被征服者＝ローマ人と居住区を別にしており、都城外に建てた城塞のほうに居住するのが普通だった。まるで孤島のように農村にポツンと聳える城塞は、今日の欧州農村の原風景である。血統の純血を保つためにローマ人に同化せず、勇猛な武人精神を保つためにローマ文化に染まらない——ゴート人は「二元政治」(26)を確立した。統治上は「エスニック集団分治（エスニック集団を分割して統治する）」を実施し、ローマ人とゴート人の通婚を禁じた。法律上もゴート人は自分たちの慣習法を、ローマ人はローマ法を用いた。行政制度上では、ゴート人は軍事を担い、ローマ人は政事を担当した。文化教育では、ゴート人はラテン語やローマ古典文化の習得に消極的だった。宗教では、ローマ人はキリスト教、ゴート人はキリスト教の中では「異端」とされるアリウス派を信仰した。こうした分割統治の習わしは長年にわたって維持された。イギリスの歴史学者ペリー・アンダーソンが言うように、蛮族の建国は「融合というよりはむしろ分断による方が多かった」(27)

挫折した融合

ゲルマン諸王国のなかで「部分的ローマ化」を推進した唯一の例外が東ゴート王テオドリックである。テオドリックも「二元政治」を実施したが、異なるのはローマ文明の価値に理解があったことだ。

東ゴートの王子だったテオドリックは劉淵同様、人質として過ごした東ローマ宮廷で教育を受け、ローマ貴族社会を熟知していた。しかし、劉淵が『春秋左氏伝』『尚書』に通じていたのと違い、意思疎通に支障なかったとはいえギリシャ語やラテン語を嫌い、署名せずに公文書を発行するため「記号」を彫った印を使っていたほどである(28)。

西ローマを配下に治め自らイタリア王となったテオドリックは、ゴート人とローマ人の混住こそ認めなかったものの、西ローマ帝国の文官制度を残し、執政官、財務官、国務大臣らにそのままローマの管理をゆだねた。そしてローマ人には役人になるよう、ゴート人には軍人になるよう命じた。ゴート軍人が手にした唯一の利得は、ローマ人地主に供出を強要した「3分の1」の耕地である。蛮族占領軍が手にした土地としては最も少ない。

寛容なテオドリックの治世下で、ローマ人は服装、言語、法律、習俗をまったく変えずにすんだ。なかでも寛容だったのは宗教である。テオドリックはアリウス派信者だったにもかかわらず自らサン・ピエトロの墓地に赴き、供祭している。

キリスト教徒は誰1人としてアリウス派への改宗を迫られなかった。

テオドリックはローマ遺臣の権力をことさらに保護した。一番重用された大貴族ボエティウスはアウグスティヌス以降最も偉大な教会哲学者である。彼は、ユークリッドの幾何学、ピタゴラスの音楽理論、ニコマコスの数学、アルキメデスの機械学、プトレマイオスの天文学、プラトンの哲学、アリストテレスの論理学を翻訳・注釈し、後世の歴史家からは「最後のローマ人」といわれている。

テオドリックはボエティウスに国政を託し、まだ年若いボエティウスの2人の息子をローマ執政官に任じた。争いの絶えなかったローマ遺臣とゴート新貴族だが、テオドリックの実の甥がローマ人の産業を私物化しているとローマ貴族が告発すると、テオドリックは少しの躊躇もなく甥にそれを手放すよう命じた。こうしたテオドリックのローマ遺臣に対する「依怙贔屓」はゴート人の恨みを醸成し、イタリアの2万のゴート兵は「憤懣やるかたない気持ちを抱きつつ平和と秩序を維持していた」(29)。33年のテオドリック治世でイタリアとヒスパニアはローマの昔日の面影を保ち、壮大な都市も、優雅な元老も、盛大な祝日も、敬虔な信仰もそのまま生き残ることになった。

ローマ人と東ゴート人のエスニックグループ融合はまったく可能だったとイギリスの歴史家ギボンはいう。「ゴート人とローマ人が結束すればイタリアの幸福は子々孫々まで続いたはずだ。自由な臣民と教養ある軍人からなる新国民が、その気高い人徳で互いに競争し、次第に成長していくことも完全に可能だった」(30)。しかし言うは易しである。ゴート人とローマ人の間で根深いこととなる亀裂は、まず宗教から始まった。テオドリックはローマ教会に寛容だったが、ローマ教会はユダヤ教を決して許容せず、ユダヤ人教会を焼き払い、その財産を簒奪した。公平を期すため、テオドリックは首謀者のキリスト教徒を厳重に処罰した。これに恨みを抱いたキリスト教徒は次々にテオドリックに背き、東ローマ・ビザンツ教会と頻繁に結託するようになった。

523年、ローマ元老院貴族アルビヌスの裏切りが摘発された。彼は、ローマ人が再び「自由」になれるようゴート王国を滅ぼしてほしいと東ローマ皇帝に親書を送ろうとしたのである。この親書がおさえられるとテオドリックは激怒し、元老院貴族の「裏切り者狩り」をはじめた。このときボエティウスは自ら盾となってローマ人を守ろうとした。「彼らが有罪ならばわたしも有罪だ。わたしには罪がないというなら彼らにも罪はない」。ボエティウスはゴート人にかなり近かったとはいえ、いざというときにはやはりローマ貴族の側に立ったのである(31)。

要するに――ギボンは言う――ゴート人がどんなに寛容であっても、ローマ人の信任はついぞ得られなかった。「これだけ穏便なやり方をとったゴード王国であっても、ローマ人の『自由な精神』が我慢の限界を超えることは必定だった」。「この恩知らずな臣民は、征服者ゴートの出自、宗教、あるいはその品位さえ、ついに衷心から受け入れることができなかった」(32)

このときすでに晩年にさしかかっていたテオドリックは、「生涯かけてローマ人のために粉骨砕身してきたのに得たものは恨みだけだった」ことに、「こうした報いなき愛ゆえに自分が怒りを感じている」(33)と気づいた。結局、彼はボエティウスを処刑した。その際、死を前にしていかなる弁明の機会も与えないという「最もローマらしからぬ」方法を意図的に用いた。処刑まで塔に幽閉されたボエティウスはそこで『哲学の慰め』を書いた。この書物は中世学徒の必読書になった。ボエティウス処刑後はテオドリックのほうも精神的ダメージが大きく、ほどなくして病死、三日三晩苦しみぬいての死だったという。

テオドリックの死から10年後、東ローマ皇帝ユスティニアヌス1世は、異端撲滅の情熱と故土奪還の熱望から東ゴートに「聖戦」を発動した。ビザンツ教会がアリウス派撲滅の勅令を同時に出す一方で、ユスティニアヌス1世は5250kgの金塊を積んで自らペルシャに講和を求め、東の安寧を確保し、空いた手をすべて西征にふりむけた。535年、名将ベリサリウスを派遣し20年にわたる戦争を敢行、東ゴート王国を滅ぼした。

ローマを捨てたローマ

再び東ローマの懐に帰ることになった西ローマ人、その本願がかなったと思うのが普通だろう。しかし意外にも答えは否である。

ベリサリウスが東ゴートを攻撃すると、西ローマの貴族・庶民は内からそれに呼応した。ローマ貴族シルウェリウス司教の密かな内応があったからこそベリサリウスはローマに無血入城することができた。

しかし、「帝国の軍隊」に対する西ローマ人の歓迎熱は長続きしなかった。長きにわたる攻防戦に辟易した西ローマ人は、最初はろくに入浴もできない、睡眠もとれないといい、後には食糧の不足から東ローマ軍を痛罵した(34)。ベリサリウスはユスティニアヌス1世あての手紙にこう書いている。「いまのところローマ人はわれわれに友好的だが、もしこれ以上苦境が長引けば、彼らはなんのためらいもなく自分たちの利益によりかなった道を選ぶだろう」(35)

西ローマ人の怨恨はシルウェリウス司教を動かした。かつて東ローマ軍の入城を助けた司教がなんと今度はゴート人の潜入を手引きするために夜陰に紛れて城門を解き、彼らにベリサリウスを襲撃させて東ローマ軍の占領を終わらせようとしたのだ。しかし、この陰謀は暴かれ、シルウェリウスは即流刑に処された。ベリサリウスは以降2度とローマ人を信用せず、ローマの城壁にある15の城門の鍵を月に2度交換し、城門守備にあたるローマ人部隊を始終入れ替えた。

こうした「歓迎」から「拒絶」への反転はわずか4カ月の間に起こった。

ビザンツ〔東ローマ〕を捨てたのは貴族ばかりではない。平民もそうだった。多くの西ローマ農民と奴隷はかつての主であるゴートの部隊に戻り、金をもらえなくなったゲルマン人もまた、ほとんどがゴート軍に加わり、一斉に「解放者」に攻撃をしかけた。

西ローマ人は東ゴートにも東ローマにも忠義心がなかった。自分の利益しか重視しない彼らにとっては、だれにも支配されないのが一番だった。ヘルムート・ライミッツが「西部属州のローマ人大多数にとって『ローマ帝国の滅亡』は決して災難ではなかった。実際、地方エリートは蛮族・ローマの軍閥・クライアントキングそれぞれと、より小さな権力単位で協力関係を形成していた」(36)と言ったとおりである。

西ローマ人にも東ローマ人に反抗した理由がある。ビザンツは当地の民生を一顧だにせず、徴税のことしか考えていなかったのだ。戦後のイタリア北部はすでに廃墟と化しており、経済は衰退、人口も激減していた。にもかかわらずベリサリウスの後を継いだナルセス将軍は軍政を敷き、15年にわたって略奪的な税を課した。ビザンツの税吏は徴税のたびにその12分の1を合法的に自身の懐に収めることができた。これが際限なく税をむしりとる狂信的原動力になったのである。ビザンツの税吏が「金切り鋏アレクサンダー」の悪名で知られる所以である(37)。個人が国家の税収からマージンを抜く「徴税請負」は、マケドニア帝国以来続く悪制だったが、ビザンツはこれを国家ぐるみの行為に変えた。また、ビザンツでローマの統治システムが蘇ることはなく、千年続いた元老院制度もこのとき同時に終焉を迎えることになった。

蛮族のテオドリックが苦労してローマの体制を維持しようとしたのに、そもそもローマ人の国であるビザンツがそれを一掃した。もしゴート戦争がなかったら、古代ローマ文明がこれほど早く消滅して中世に突入することはなかった、というのが欧州歴史学者の認識である。どれほどローマに寛容であってもそれが「蛮族」の皇帝である限り、心の内奥では決して受け入れることがなかったローマ貴族の驕りこそ、その責めを負うべきであろう。

東ゴート後の蛮族が、以降苦心して「ローマ化」することは二度となかった。彼らはあっさりとローマの政治制度を投げ捨て、己の道に徹した。ローマの生活と習俗はその後1世紀あまり、欧州の片隅でただ惰性的に続いていただけである。

中華を選んだ中華

テオドリックとボエティウスの君臣関係に似た例が中国にもある。一つは前秦の苻堅と王猛、もう一つは北魏の拓跋燾《たくばつとう》と崔浩《さいこう》である。

まずは苻堅と王猛。苻堅は五胡のなかで最も仁徳のある君主だが、一方王猛も「華北被占領区」随一の漢族士大夫である。当時、東晋も一時は北伐を試み、大将軍・桓温が関中に進軍すると天下の士大夫たちの期待は頂点に達した。王猛は桓温に会い、互いに相手を値踏みした。そして、桓温は破格の好待遇を用意し、全力で王猛に南下をすすめたが、王猛はこれを拒否した。一番の理由は、桓温が本気で「大一統」をやろうとしていなかったからである。あなたは長安の目と鼻の先にいながら灞水を渡ろうとしない。天下統一の志に嘘があることはみんなお見通しだ——王猛は桓温にそう言ったという(38)。

王猛は苻堅を選んだ。苻堅には「大一統」の志があったからである。氐族の苻堅は生涯ぶれることなく「混六合以一家、同有形于赤子（六合を混ぜて一家となすべきだ。そうすれば、夷狄もまた赤子のようであろう）」を心に刻み続けた。長安の鮮卑貴族がまだ十分に帰順していない段階で、危険を冒してでも南征――東晋を討伐する決意をあらわにし、「惟東南一隅未賓王化。吾毎思天下不一、未嘗不臨食輟餔（東南の一隅（東晋）だけが未だに王化に賓しておらず、我は天下が一つではないことをいつも思い、夕飯も満足に食べる事が出来ていない）」と言ったという。「統一」なくして「天命」なし[39]――苻堅は百戦錬磨の豪傑だったが決して無謀だったわけではない。ただ「大一統」の最終目的と個人の成否を天秤にかけなかっただけである。これは諸葛亮の「王業は偏安せず」と同じ考え方である。東晋は明らかにその力があるのに全身全霊をかけて北伐をしたことがない。淝《ひ》水の戦いで大敗を喫し、後世の歴史家に笑いものにされる苻堅だが、初志・使命感という点では南北どちらに軍配が上がるか、火をみるより明らかであろう。

　王猛が桓温の誘いを断ったもう一つの理由は、東晋の「為政の道」が王猛の理想と合わなかったからである。東晋は門閥政治をきわめていたが、王猛の理想は儒・法併用の「漢制」だった。一方で法家の「明法峻刑、禁勒強豪（法を明らかに、厳しい刑罰を定め、地方豪族を取り締まる）」を求め、同時に儒家の「抜幽滞，顕賢才，勧課農桑，教以廉恥（くすぶる人材を見出し、有能な人材を重用する。民には耕作や機織りに励むよう促し、己の非を率直に認めて改める勇気をもった人を育てる）」を求めた。

東晋の官僚は家柄で決まったが、苻堅は下位階層から有能な人材を抜擢し、これを「多士《たし》」(40)と称した。東晋は「天下の戸籍の半数は門閥に入る（朝廷が直接掌握できない）」だったが、苻堅の統治は末端に及び、自ら（あるいは使者を使って）漢族庶民と胡族諸部族を巡察した(41)。また、東晋は玄学を好み、為政者は清談を重んじたが、苻堅は老荘思想、神秘主義を禁じ、かわりに「学為通儒、才堪干事（儒学に精通し、非常に有能）」を求めた。

漢族の東晋より氐族の前秦のほうが王猛の「漢制」理解に合致していた。王猛のような真の漢人名族の考えでは、「漢」は人種や血統ではなく理想的な制度である。

中華世界のエスニック集団は胡漢問わず、ローマ世界のように「血統」や「宗教」でエスニック集団を区別しない。テオドリックがもし中国に生まれていたなら、あまたの胡漢豪傑が正統をめざす彼を補佐したであろう。

次に拓跋燾と崔浩である。拓跋燾は鮮卑屈指の君主である。一方、崔浩は華北漢人名族の子弟で、3代にわたって北魏皇帝に仕え、経書、史書全般に明るく、天文陰陽の学に通じ、そればかりか自ら張良を気取るほど策略にも長けていた。崔浩は拓跋燾のために建策し、柔然国を放逐、大夏を平定、北燕を滅ぼし、中国北部の大統一を成し遂げた(42)。また、崔浩は拓跋燾の「文治」改革の実施を後押しした。軍人貴族の六部大人《りくぶたいじん》官制〔主要「省庁」トップを軍人が独占する体制〕を廃止し、文官制度すなわち尚書省を復活し、秘書省を併設した。また、末端行政機構を整備し、地方官の考課を実施した。律令を3度にわたって改訂、中原の律令条文を大量に取り入れた。さらに崔浩は、鮮卑エリートと漢族エリートの大融合を力説し、素直に聞き入れた拓跋燾は漢人名族数百人を大々的に中央・地方政府に徴召〔出仕を命じる」した。

拓跋燾は崔浩をこのうえなく寵愛し、自ら崔浩の邸宅に足を運んでは軍事、国事にかかわる重要事について意見を求め、崔浩を称揚する歌曲を楽師に作らせた。崔浩の意見にしか耳を貸さない太武帝〔拓跋燾〕に対する鮮卑貴族の不満は相当なもので、匈奴貴族と鮮卑貴族が共謀してクーデター未遂を起こしたこともあった。

ボエティウス同様、崔浩もエスニシティに足を引っ張られて晩節を全うすることができなかった。彼は北魏国史編纂の責任者だったとき、「逆縁婚」など鮮卑部族時代の旧習をとりあげ、これを石刻して首都の要路わきに立てた。当時すでに中原の倫理観を受け入れ、自らを炎帝・黄帝の末裔と称してはばからなかった鮮卑族はこうした「暴露」に激しく憤った。おりしも南朝宋の文帝が北伐を実行しているときで、鮮卑貴族は祖先を辱めたとして続けざまに崔浩を告発、崔浩は宋と密かに通じて陰謀を企んでいるとの噂まで流した。崔氏は大きな一族だったので、本家筋やその親族の支流が南朝にいたからである。拓跋燾は激怒し、清河《せいが》の崔氏一門を皆殺しにした。このときすでに齢70を超えていた崔浩は誅殺の辱めを受けた(43)。漢族と鮮卑の物語は、漢族と鮮卑の融合はこの「国史の獄」で頓挫しただろうか。ゴートとローマのそれとは大きく異なる。

ローマ貴族がしばしばゴートを裏切ったのと違い、「国史の獄」の後も傍系一族は北魏に留まった。孝文帝即位後、清河崔氏は官位4等級のトップに返り咲き、崔光、崔亮らは再び北魏朝廷に仕え、北魏国史の編纂を再開している。なかでも崔鴻《さいこう》は残った資料をすべて網羅し、五胡諸政権の史実を記録した『十六国春秋』100巻を完成させた。

ローマ人の裏切りでゴートが急速に脱ローマ化したのと違い、「崔浩事件」を経ても拓跋燾は「人を以て事を棄てず」、以前と変わらず鮮卑貴族子弟に儒学を学ばせた。崔浩は死んでもその政治は残ったのである。後を継いだ孝文帝はさらに漢化改革を進め、それを頂点にまで高めた。漢族と鮮卑は個人の名誉と屈辱を政治に持ち込まなかった。歴史に対する深い洞察があったのである。

フランクの疎隔

ゴート人が欧州の舞台を去ったあと、運命の神はフランクに訪れた。

フランクは「蛮族移動」のなかで唯一「大移動」をしなかったとされるエスニック集団である。ベルギーの海岸地域とライン川沿いに長く暮らしていたフランクは代々住み慣れた土地からわずかに南下しただけである。東ゴートがイタリアを占領したのとほぼ同時期にフランクはローマの属州ガリアを占領し、メロヴィング朝を建てた。6世紀には現在のフランス領土をほぼ統一、7世紀中ごろにはカロリング朝に交代した。カール大帝はヒスパニアを除く欧州西部を征服し、その領土は西ローマ帝国に匹敵、ビザンツ帝国と東西相並び立つことになった。

東ゴートがローマ人に滅ぼされたのにフランクがここまで発展することができたのはなぜか。主な理由は、フランク王クローヴィス1世がローマ・カトリックに改宗したからである。クローヴィス1世は宗教大会に参加したその足で人の頭を戦斧で割るような人物で、その残虐ぶりは有名だった。しかし、テオドリックは命に代えても改宗しなかったのにクローヴィス1世は改宗した。だからこそ、絶大な勢力を誇るローマ教会も全力で彼を支持したのである。

キリスト教を除けば、フランクとローマの文明に共通点はあまりない。

ローマ皇帝は短髪に桂冠、フランク王は蛮族の印である長髪を常に保ち、「長髪の国王」とよばれた。

ローマは凱旋門や宮殿を擁する都市文明だが、フランク王は農村を好み、周囲に建てられた畜舎では牛や鶏が飼われ、農奴がつくった穀物と酒は市に出すことができた。ローマの中央財政は租税で成り立っていたが、フランク王室の財政を支えたのは「私有荘園」である。

ローマの法体系はローマとそれ以外で違いがあったとはいえ、少なくとも形式上はローマ帝国公民の平等をうたっていた。しかし、フランクの慣習法は身分制である。「サリカ法典」は、フランク人の生命は征服されたガリアのローマ人よりも「高価」だと厳格に規定してはばからない。フランク人平民を殺した場合の贖罪金は1人につき200ソリドゥスだったのに対し、ガリア人の場合は50ソリドゥスからせいぜい100ソリドゥスだった(44)。こうした征服者と被征服者の格差はフランク人とガリア人のエスニック集団格差に、さらに進んで貴族と平民の階級格差に転化していった。フランス革命以前、貴族学者ブランヴィエリは、フランス貴族はガリアを征服したフランクの末裔であり、祖先の特権を受け継ぐのは当然だが、フランスの第三身分はガリア・ローマ人の末裔であり、支配されて当然、政治的権利を要求する資格はないという論を展開している(45)。

証拠にこだわるローマ法は法の原理に支えられた成文法である。しかし、蛮族法は簡単な裁定法と「火神判」「水神判」(46)といった神判方式を採った。証拠不十分な場合は「決闘」に委ねられ、体格に恵まれたフランク人に勝てないひ弱なローマ人は起訴をあきらめるケースがほとんどだった。道理を極めるよりも拳にものをいわせるこうした蛮族の習慣が、後に騎士道精神として多くの尊敬を集めることになったのである。

西ローマの中上層は行財政をつかさどる緻密な官僚制度を擁しており、ピーク時には4万人の官吏がいた。他方フランクは官僚制度を徹底的に排し、封建的な恩貸地〔ベネフィキウム〕制を実行した。恩貸地とは国王が臣下に土地を封じること〔またはその封土〕を指し、土地と兵役で結ばれた忠義的な君臣関係を形成した。当初は土地を世襲できなかったが、長い年月を経て土地は強大な貴族の世襲財産に変化し、国王と大中小領主の多層的分立的な封建体制が中世の欧州に形成されることになった。あたかも独立王国のように、領主は領地内で行政、司法、軍事、財政を司り、生殺与奪の権限を一手に握っていた。モンテスキューによると、カール・マルテルの改革以降、国家は多数の封土に分割され、共通法を執行する必要もなければ、専門的官吏を地方に派遣して司法・行政を督察する必要もなかったという(47)。

フランクは統一戦争の過程で他の蛮族諸国を併合したが、ローマのように属州を設置して中央の管理下に置くことはせず、貴族と教会にその土地を与え、領主自治を保証した(48)。いわゆる国王というのは最大の地主のことである。フランクの歴代国王は死後その土地を子に平等に分け与えた。王権は地方化し、いたるところに「国王領」が生まれた。ゲルマン諸族のあと、スラブ諸族が大々的に東欧に侵入したが、両者の建国方式、制度選択に違いはなかった。ポスト・ローマの欧州は二度と統一されることがなかったのである。この時期の歴史を理解しなければ、欧州政治のその後の変遷を理解することはできない。

封建政治と文官政治

ローマ帝国の制度的遺産が目の前にありながら、フランクはなぜあえて封建制を採用したのか。

ローマの法体系と官僚制度はすべてラテン語の法典、史書に記録されているが、ゲルマンの指導者たちは自族民にローマの文化を学ばせなかったため、ローマの歴史的経験をわがものとする術がなかった。ゴートの例を挙げると、男子が学べるのは母語のみでラテン語を学ぶことはできず、ラテン語を勉強している子は皆から罵られたという。

ゲルマン諸族の言語は8世紀に至るまで書面語を持たなかった。ギリシャ語、ローマ語を学ぶことを拒否したため、中世初期300年間（476年から800年）のゲルマン諸族は文章を書けないのが普通だった。貪欲な好奇心の持ち主だったカール大帝は下手なラテン語を話したが、やはり文章は書けなかった。神聖ローマ帝国の皇帝も例外ではない。中国、宋の太祖と同時代のオットー1大帝は、30歳になってようやく読み書きができるようになり、宋の仁宗と同時代のコンラート2世は、書簡が読めなかった。欧州封建貴族の大多数が文盲だったのである。

読み書きができないのだから当然複雑な文書を処理できず、文官システムを構築することもできなかったし、緻密なローマ法を運用することもできなかった。歴史家マルク・ブロックが「大多数の領主と貴族は（名目上）行政官であり法官だったとはいえ、行政官として報告書1枚、勘定書1枚さえ自分で読み、考査することができず、法官として彼らが下した判決は彼らには理解できない法廷言語で記録されていた」(49)と言ったとおりである。官僚制度を運用して統治をおこなうことができず、簡便な封建制度を実施することしかできなかった――だからこそ広大な国土の統治能力をもてなかったのである。当時、知的エリートを養成することができたのは修道院と教会学校のみである。諸侯の行政は領地内の宣教師頼みにならざるを得なかった。カール大帝は外交官と巡察官に司教を登用している(50)。彼が出した勅令、公告、訓戒のほとんどはイングランド出身の修士アルクィンの手でつくられた。数世紀にわたってフランク諸王の主要大臣ポストはすべて教会人士で占められた。教会人士は精神世界を説くだけではなく、行政権力を掌握したのである。

これはローマ帝国の政教関係とは異なる。「ローマ教皇」はローマ皇帝の勅令で決められた(445年)(51)。帝国においては一般的に皇帝権力は教会権力より強かった。しかし、フランク王国では教会と王権が対等に世の中を支配した。教会は政治に全面的に参加するだけでなく、大領主でもあり、王朝による課税の試みを幾度となくはねのけている(52)。こうした行政権力の譲渡は後に「カトリック教会」が勃興する基礎になった。元来、ゲルマンの伝統にも貴重な遺産があった。たとえば代議制民主主義は彼らの軍事民主制から生まれたものであり、ローマの官僚制から生まれたものではない。しかし、彼らはローマの制度をうまく接ぎ木することができず、数百年におよぶ宗教権力の独占支配を招いたのである。

ゲルマン人は自治と封建を選んだ、やはりそれは彼らの「自由な天性」から出たものだという学者がいる。モンテスキューもゲルマン諸族が「分散＝散居」と「独立」の生活様式を好んだのは天性だという。「ゲルマン人の居住地は湿地、河、池、森林によって分断されており……こうした部族は散居を好んだ。……部族ごとに散在していたとき、各部族それぞれが自由で独立していたが、諸部族が混じりあったときでも依然として独立していた。各部族は共通の国家をもちながら各々が独自の政府をもっていた。領土は共有だったが各部族はそれぞれに異なっていた」(53)。

こうしたことから、ゲルマン諸王国は個々に分散しており、互いの融合を求めず、ある種の多極構造を形成していた。

ところで、中国の五胡も同じく草原、森林に暮らす遊牧民で、居住地が砂漠、森林、山谷で分断されていたのも、自由を好んだのも、遊牧社会のアプリオリな「分散性」に制約を受けていたのもゲルマンと同じである。しかし、五胡はその天性により適していたはずの自治や封建分散路線に後戻りすることはなく、多民族一体型の中央集権官僚制を積極的に復興した。五胡の政権は多民族政権であり、一族＝一国だったことは一度もない(54)。複数のエスニック集団からなる官僚が政治をおこない、宗教がそれにとってかわることは決してなかった。五胡の君主はみな敬虔な仏教信者だったが、政治方針形成の場面でも、下層の動員手段としても仏教が必要とされることはなかった。彼らには発達した文官システムと官僚制度を運用する能力があったのである。北魏の仏教は隆盛を極め、有名な仏教石窟はすべてこの時期につくられている。寺院は万単位、僧侶は百万単位を数え、仏図戸《ぶっとこ》（寺院の雑用、寺田の耕作に従事した仏教集団の隷属民」と廟産《びょうさん》〔仏教寺院の財産〕を大量に有し、フランクの教会同様、仏教集団は大地主だった(55)。しかし、北朝君主は決して仏教に縛られることなく、逆に寺院閉鎖、寺田回収、仏図戸の通常戸籍への再編入を断行している。

世界分割と天下融合

800年、カール大帝はローマ教皇から「神聖ローマ皇帝」の帝冠を与えられた。これによってフランク帝国は「ローマ」になったのか。欧州学界での議論は数百年続いている。フランクが「ローマ」「ローマの継承者」たることにそれほど執着しなかった点は、歴史家たちも認めざるをえない。カール大帝は「ローマ皇帝の称号など嬉しくない、教皇が帝冠を与えたがっているのをもっと早くに知っていたらサン・ピエトロ大聖堂には入らなかった」(56)と言ったという。ローマ皇帝となってからもカール大帝は「フランク王」「ランゴバルド王」の肩書を棄てず、有名な806年の『分国令』には「ローマ皇帝」の文言すらない。

フランク人にはローマへのあこがれも敬意も皆無だった。961年、神聖ローマ皇帝オットー1世はランゴバルド人の司教を使節としてビザンツに派遣した。しかし、ビザンツはこの司教が「ローマ人」を代表する資格はないと言った。それに対して司教は、フランクで「ローマ人」と言われるのは一種の侮辱であると答えたという(57)。

ローマからの分離願望はフランクの史書のなかに一番よくあらわれている。

ローマ帝国の黄金時代に編まれた年代記では「百川《ひゃくせん》海に帰す」、つまり王国にはそれぞれの源流があり、多くのエスニック集団も自らの源流をもつとはいえ、それらは最終的にはすべてローマ世界に流れ込み、「神の計画」はローマ帝国において実現する、としている。しかし、ゴートとフランクが自らの史書を編纂するにあたっては、独立した自族の起源を強調し、ローマを歴史から抹消、西部属州に対する蛮族の「武力占領」は「自然継承」にされた。この種の「歴史捏造運動」はフランクの『偽フレデガリウス年代記』で頂点に達する。曰く、「ローマ秩序」はかつて存在したことすらなく、「ローマ世界」は始めから一連のエスニック集団・王国とパラレルに発展してきたものである、しかもそれらは最後までローマ帝国に合流することはなかった、ローマ人は数多くのエスニック集団の一つに過ぎない、というものだ。

この「変換」を完成させたツールが「氏族（gens、ゲンス）」という概念である(58)。「氏族」はゲルマン人のアイデンティティを強化し、このおかげでゲルマン世界はかつて自らが隷属していたローマ秩序から解放されたのである。「エスニック集団分治」がゲルマン世界の核心的特徴になったのだ。

カールの帝国は複数の異なる「エスニック集合体」で構成されていた。宮廷史家が描くカール帝国は、フランク人、バイエルン人、アレマン人、テューリンゲン人、ザクセン人、ブルグンド人、アクィタニア人で構成される連合体で、共通点はキリスト教のみである。欧州の歴史観はこれを境に「一つのローマ」から「複数エスニック集団の分割世界」へと変わっていく。

しかし、五胡政権の歴史観はこれとは完全に異なる。エスニック集団ごとに隔てられた「天下分割」ではなく、それらが混然一体化した「天下融合」である(59)。

エスニシティ上、欧州蛮族の描く歴史は、自族とローマの関係を徹底的に断ち切り、自己のエスニック集団の始祖神話を探し求め、自分たちがローマ世界とは縁もゆかりもないことを証明しようと試みる。他方、中国五胡の史書は例外なく、部族の起源と華夏との複雑にからみあった関係を証明しようと試みる。圧倒的多数の五胡君主は、地縁血縁からいって自身が炎帝・黄帝の末裔であり、華夏の同族であると、自ら証明したがった(60)。

統治の点では、欧州蛮族は法律を通して人為的なセグメントをつくり、複数エスニック集団の混住を決して実行しなかった。他方、五胡政権は一貫して混住を奨励した。前漢・後漢時代の遊牧民族はまだ部族長と漢王朝宮廷の二重管理のもとにおかれていたが、五胡自らが発展させた人口政策は、徹底した大移動、大融合、そして大々的な戸籍管理だった。五胡政権期の大規模移民は50回を超える(61)。ともすればＩ００万単位の人々が中心地区に移動した(62)。この点、北魏はもっと徹底していた。ストレートに「離散諸部、分土定居〔諸部（部族）は解散し、国家が指定した地域に居住する〕」をスローガンにかかげ、部族長制を打破し、編戸斉民を実施した。

世界観ではどうか。欧州蛮族は、「氏族」の個性がその文明に固有の在り方を決めるという歴史観を崩さなかった。しかし、中国五胡は文明の特性は人種ではなく徳行によって決まることを強調した。五胡君主は好んで孟子の言葉「舜《しゅん》は東夷の人、文王は西夷の人、その徳行が中国に恩沢《おんたく》をもたらす限り、彼らはすべて中国の聖人である」(63)を引き、これを根拠に「帝業に永遠不変はなく、徳によってのみ授かるものだ」と、堂々と主張した。

統一問題ではどうか。欧州蛮族は、ローマ世界は統一されるべきものではなく複数人種〔氏族〕によって分割統治されるものだという歴史認識である。しかし、中国五胡は、中華世界は統一されるべきであり分割統治はできないと考えた。どのエスニック集団が政権をとるかにかかわりなく、最終的な政治目標はみな「大一統」だったのである。

「政統（政治的実践における理念の継承、一貫性）」構築の点ではどうか。欧州蛮族は西ローマ帝国の遺産継承にきわめて消極的で、東ローマと正統性を争う気はさらさらないという歴史観である。他方、中国五胡はあらゆる手段を講じて自身の政権を中華王朝の正統に組み入れようとし、常に南朝と正統性を争った。

300年の絶えざる混住と融合を経て胡漢両族は最終的に新たな民族共同体――隋人、唐人を形成した。今日の北方中国人は、その血筋をたどればすべて胡漢融合であり、漢族といえども、商周時代（紀元前1600年から紀元前256年）に中原諸侯と周辺エスニック集団とが融合して形成された大エスニック集団なのである。この大融合で生じたのは、誰かによる誰かの同化ではなく、多様な相互変容である。政権もエスニック集団も消長遷移を繰り返したが、どのエスニック集団も政権の座につけば混住融合政策を貫徹したため、「漢族」の数もまたどんどん増えていった。こうして再び古くからのテーマに戻る。漢族の遺伝子的血統はどの王朝をもって基準とするのか。中華民族の大規模な融合、一体化は2000年前にはすでに始まっていたからだ。

こうした歴史観を理解しなければ、五胡の君主がみな習俗上は先祖伝来の気風を有しながら、しかし政治のうえでは先祖の英雄ではなく漢族諸帝を範とした(64)理由が理解できない。フランクとローマが分離してしまったようなことはしなかったし、身の丈にかかわらず「華夷大一統」の理想にこだわった(65)理由も理解することはできない。

古ゲルマン人が「自由散居」に慣れ親しんでいたというなら、中華の各エスニック集団は常に「天下の志」をもっていたといえる。ローマ皇帝の皮肉に直面したとき、ランゴバルド人は「われわれはローマ人たることを望まない」と口答えしただけだった。しかし、北魏人は南朝の皮肉に際して、南朝の方を「島夷（南方の異民族）」と罵倒し、われわれこそが中華の正統であると主張した。北魏は単に中原を占拠していたのではなく、文化の上でも「移風易俗之典、礼楽憲章之盛（風習を良い方に改めることを規範とし、礼楽制度を盛んにする）」(66)だったからである。

これは空論ではない。東晋の末から劉裕（宋の武帝）の帝位奪取の動きが起こると、南朝の知識分子が大量に「北奔」する事態が生じた。北魏は後期、首都洛陽を数百km²の巨大都城につくり変えた。飢え渇するが如く南朝官僚制度、衣冠礼楽、書画文学を吸収し、しかもそれに新機軸を加えた(67)。経学において南北に通暁する大儒家は明らかに北朝の方に多かった(68)。529年になると、洛陽を陥落させた南朝の陳慶之《ちんけいし》が北人と論戦を交えたあとにこう嘆息している。南人はずっと「長江以北は夷狄ばかり」だと思っていたが、「衣冠の士族も中原にいる」ことをいま初めて知った。北朝は「礼儀隆盛にして人も物も豊富」で、自分は「目にするものはみな初めて、言葉で表現できない」、それゆえ「北人を軽視するなどもってのほかだ(69)」と。軍事上の勝利を手にするだけで終わらず、文化のうえでも融合と革新を目指す――五胡のこの気概は古ゲルマン人には想像すらできないだろう。

五胡は成功した。北朝と南朝は共同で後の隋唐文化を形作った。素朴、質素、簡素を旨とする漢代文芸に比べて、隋唐の文芸はスケールが大きく豊かである。北魏・北斉と隋唐の石窟彫像はガンダーラ芸術、グプタ朝芸術、魏晋の気風が融合したものである。隋唐の七部楽、九部楽には中原の曲調（「清商伎」「文康伎」）もあれば、北朝で流行した異郷の調べ（「高麗伎」「天竺伎」「安国伎」「亀茲伎」）もあり、元々西域で生まれた琵琶もまた唐人の心情を表現する楽器になった。北亜（現在のロシアのアジア部分）風もペルシャ風も決して「異質」な文化とみなされず、中華エスニック集団はむしろそれらを心から愛した(70)。

五胡は自らを見失ったのか、それともより壮大な自我を獲得したのか。

こうした「天下の志」を理解していなければ、エスニック集団の「融合」を「同化」と誤解するに違いない。文化の「融合」を文化の「流用」と誤って解釈するかもしれない。欧州民族主義の狭隘なパラダイムで思考するならば、いつまでたってもエスニック集団への帰属意識〔Ethnic Identity〕からしか政治と文化を捉えられないだろう。

1866年ドイツの画家、ハインリッヒ・ライトマン画。455年、ヴァンダル人のローマ略奪。(視覚中国)

東ゴート王テオドリック1世。

ローマのコンスタンティーヌの凱旋門。

古代ローマのコロッセウム（中国新聞社）

内モンゴル自治区武川の北魏皇室祭天遺跡（中国新聞社）

(22)東ローマ軍の4割超（東西ローマ軍全体の5分の1から4分の1）は常に対ペルシャ防衛に割かれており、残りも大部分は駐屯地部隊として、国境地帯の安全にとってそれほど脅威ではない突発事件の処理を主任務にしていた。

(23)西ゴートはフランス南部とヒスパニアを占領（419年）、東ゴートはイタリアを占領した（493年）

(24)ピーター・ヘザー著、向俊訳『羅馬帝国的隕落』中信出版社、2016年、P532。

(25)Tim O'Neillによると、アラリック1世時代の西ゴートは2万人の兵士を含めて総人口はおそらく20万人以下、ローマを略奪したガイセリック配下のヴァンダル人の数もこれに近く、フランク人、アレマン人、ブルグンド人もそれぞれ10万人以下、総数でいえば75万人から100万人だろうという。

(26)建国当初の蛮族はいずれも二元体制をある程度保っていた。つまり、ローマの遺制と蛮族の伝統的習慣が混在していた。そのなかで最もローマ化の程度が高かったのが東ゴート、その次が西ゴートである。ローマ化の消滅にはそれなりのプロセスがあり、西ゴートの二元体制が消滅するのはようやく7世紀の半ばになってからである。ピーター・ヘザー著、向俊訳『羅馬帝国的隕落』中信出版社、2016年、P503。

(27)ペリー・アンダーソン著、郭方・劉健訳『従古代到封建主義的過渡』上海人民出版社、2016年、P81。

(28)「彼は頻繁に学校に通い、有能な教師の指導を受けていた。しかし、ギリシャの芸術を重視せず、最後まで科学の初歩課程に留まり、自らの無知をさらけだしていた。その結果、署名代わりに低俗な記号を用い、文盲のイタリア王と人々に思われていた」。エドワード・ギボン著、席代岳訳『全訳羅馬帝国衰亡史』浙江大学出版社、2018年。

(29) エドワード・ギボン著、黄宜思他訳『羅馬帝国衰亡史』商務印書館、1996年、P165。
(30) エドワード・ギボン著、黄宜思他訳『羅馬帝国衰亡史』商務印書館、1996年、P158。
(31) 次のような異論を唱える学者もいる。ボエティウスの死は、東ゴート支配者とローマ元老院貴族との対立または正統キリスト教と「異端」とされたアリウス派との宗教的対立が原因ではなく、ローマ元老院および東ゴート宮廷内の政敵に陥れられたことに端を発する。康凱「羅馬帝国的殉道者？——波愛修斯之死事件探析」『世界歴史』2017年第1期。
(32) エドワード・ギボン著、黄宜思他訳『羅馬帝国衰亡史』商務印書館、1996年、P166。
(33) これを機にテオドリックの人格は様変わりした。それまで人を信じて疑わなかった彼が、ローマ市民が所有する武器を没収する命令を出した。持つことが許されたのは家庭用の小刀のみである。それまで公明正大、虚心坦懐だった彼が密告をそそのかすようになり、元老院を摘発し、ボエティウスは投獄・処刑された。宗教に寛容だった彼がキリスト教の布教禁止を準備するのもこの頃である。
(34) ビザンツ帝国の歴史家プロコピオスは次のように記している。「ローマの民衆は戦争と都市包囲がもたらす苦難にまったく免疫がなかった。そのため、食糧不足や入浴できないことに苦痛を感じ始め、気づいてみれば都市防衛のために睡眠さえ諦めなければならない状態だった。……彼らは不満と怒りをつのらせ……やがて徒党を組んでベリサリウスをあからさまに罵倒するようになった」。プロコピオス著、王以鋳・崔妙因訳『普洛科皮烏斯戦争史』商務印書館、2010年、P486。
(35) プロコピオス著、王以鋳・崔妙因訳『普洛科皮烏斯戦争史』商務印書館、2010年、P500。
(36) ヘルムート・ライミッツ著、劉寅訳「羅馬帝国与加洛林帝国之間的歴史与歴史書写」王晴佳、李隆

国主編『断裂与転型：帝国之后的欧亜歴史与史学』上海古籍出版社、2017年、P276。

(37)「皇帝の悪名高き徴税官は任期内に大儲けすることができた。……彼が徴税できる範囲には民衆の負担能力以外の限度がなかった。軍人の俸給でさえ、彼にとっては収奪の対象だった」。ジェームズ・トンプソン著、耿淡如訳『中世紀経済社会史』商務印書館、1961年、P185。〔ここでいう「彼」が本文に名前の出たアレクサンダー。アレクサンダーはユスティニアヌス治世の財務官で、金切り鋏で金貨を小さくした逸話がある。『「金切り鋏」アレクサンダー」は徴税で蓄財した悪名高い税吏の代名詞〕

(38)「長安咫尺而不渡灞水、百姓未見公心故也」。『晋書・王猛伝』

(39)「中州之人、還之桑梓。然后回駕岱宗、告成封禅、起白雲于中壇、受万歳于中岳、爾則終古一時、書契未有」。『晋書・苻堅載記』

(40)『晋書・苻堅載記』

(41)『晋書・苻堅載記』

(42)「掃統万、平秦隴、翦遼海、蕩河源」。『魏書・世祖紀下』

(43)「自宰司之被戮辱、未有如浩者」。『魏書・崔浩伝』

(44)モンテスキュー著、張雁深訳『論法的精神』商務印書館、1963年、P243。

(45)康凱「〝蛮族〟与羅馬帝国関系研究論述」『歴史研究』2014年第4期。

(46)裁決困難な事例に直面すると、次のように火と水を使って裁定を下した。被疑者に灼熱した鉄を握らせ、火傷をすれば有罪、しなければ無罪〔火神判〕。被疑者を水底に沈め、絶えられず浮き上がってきたら有罪、沈んだまま耐えられたら無罪〔水神判〕

(47) モンテスキュー著、張雁深訳『論法的精神』商務印書館、1963年、P252。
(48) フランクは、西ゴートを破ってピレネー地方を占領したあと土地をすべて王領地として没収し、フランクの官吏とゴートの貴族に荘園・自治領地として与えた。さらにカール大帝の場合は、征服したザクセン、ロンバルディア、イタリア、ヒスパニアの広範な土地を僧侶に封じ、教会領地とした。
(49) マルク・ブロック著、張緒山訳『封建社会』商務印書館、2004年、P153。
(50) ジェームズ・トンプソン著、耿淡如訳『中世紀経済社会史』商務印書館、1961年、P350。
(51) 445年、〔西〕ローマ皇帝ウァレンティニアヌス3世は時のローマ司教レオ1世に勅令を発し、ローマ教会を西方教会の最高位に格上げした。勅令には、ローマ司教が制定した法律は全キリスト教会で執行されねばならないこと、ローマ司教が他の教区司祭を召喚すれば必ずこれに応じなければならず拒否できないこと、拒否すれば当該地区総督の手で強制的にローマに移送されることが明記されている。
(52) ジェームズ・トンプソン著、耿淡如訳『中世紀経済社会史』商務印書館、1961年、P297。
(53) モンテスキュー著、張雁深訳『論法的精神』商務印書館、1963年、P241。
(54) 統計に残っている匈奴の前趙の官吏は263人、内訳は匈奴が114人(皇族含む)、漢人が131人、その他18人である。考証可能な後燕の官吏は281人。中央官吏175人中、鮮卑慕容部が45人、その他鮮卑族が19人、鮮卑以外が18人、漢人が56人(残り37人は不明)、軍官110人中、慕容部30人、その他鮮卑15人、鮮卑以外15人、漢人20人(残り30人不明)、地方官吏93人(長官クラス34人）中、慕容部22人（長官クラス18人）、その他鮮卑8人、鮮卑以外4人、漢人43人（残り16人不明）となっている。同じく統計に残っている後秦の中枢官僚は30種32人、内訳は皇室が6人、漢人が19人、羌・氐各3人、退職管理1人。また、66人の官吏の内訳は、匈奴鉄弗部27人、漢人26人、鮮卑・匈奴各4人、羌・吐穀渾各2人、匈奴屠各部1人である。周偉洲『漢趙国史』社会科学文献出版社、2019年、P203。

(55)『佛祖統記』巻38。

(56) アインハルト著、戚国淦訳『査理大帝伝』商務印書館、1979年、P30。

(57) この司教はクレモナのリュートプランド。彼は次のように反駁した。自分たちのところでは「ローマ人」という言葉はある種の侮辱である。ロームルスの子孫であるローマ人は兄殺しの末裔であり姦通の産物である。彼らは、借金を返す力がない流民、逃亡奴隷、殺人犯、死刑囚をローマに集めたのだ、と。Reimitz『History, Frankish Identity』P199〜P212。

(58)「『ギリシャ人種』または『小アジア人種』というように、人種とは、同じ1つの起源を分かち合い且つ自身の同類を基準に自他の民族(natio)を区別する集団である。……『氏族』という言葉は、遡れば何世代にもわたる血縁集団ということであり、『親が子を育てる(gignendo)』から転じたものだともいえる。それはちょうど『民族』という言葉が『生まれる(nascendo)』に由来するのと同じである」。王晴佳・李隆国『断裂与転型：帝国之後的欧亜歴史与史学』上海古籍出版社、2017年、P290。

(59)「世宗自克高平、常訓兵講武、思混一天下、及覧其策、欣然聴納、由是平南之意益堅矣」。『旧五代史・世宗紀2』

(60)劉淵は自らを「漢氏の甥」としたが、これは漢と匈奴との和親による(その子劉曜はこれを「出自夏后〔祖先は夏の後より出る〕と言い換えたが、これは『史記』に匈奴は夏の末裔と書かれているからである)。また鮮卑慕容部は「昔高辛氏遊于海濱、留少子厭越以君北夷」、氐苻部は「有扈之苗裔、世為西戎酋長」、羌姚部は「禹封舜少子于西戎、世為羌酋」、鮮卑拓跋部は「昌意少子、受封北土」、鮮卑宇文部は「炎帝為黄帝所滅、子孫遁居朔野」といったように、それぞれが炎帝・黄帝の末裔、華夏の同族を主張した。引用は『晋書』の載記、『北史』の本紀による。

(61)村元佑『中国経済史研究』東洋史研究会、1968年、P96～P99。

(62)匈奴の劉漢は63万戸の漢人、氐、羌を首都(平陽、長安)に移住させた。羯の後趙は数百万の漢人、烏桓、鮮卑、巴、氐、羌らを移住させ、政治軍事の要衝都市に定住させた。鮮卑の前燕は烏桓段部、高句麗、鮮卑宇文部、夫余、羯を移住させ、人口は1000万人まで倍増した。氐の前秦は遠方の鮮卑、烏桓、丁零などを根拠地・関中に、さらに関中の氐15万戸を関東の「方鎮に散居」させた。羌の後秦は各地の流浪者や雍、涼などの辺境人を関中に移住させ、その数は100万戸以上に達した。詳細は『晋書』の関連する載記に記載されている。

(63)「舜生于諸馮、遷于負夏、卒于鳴条、東夷之人也；文王生于岐周、卒于畢郢、西夷之人也。地之相去也千有余裏、世之相后也千有余歳、得志行乎中国若合符節。先聖后聖、其揆一也」。『孟子・離婁下』

(64)石勒は言動上あらゆる場面で劉邦に倣い、苻堅は「漢の二武」の超越を範とした。古成詵は「漢、魏之興也」を開戦の口実にするよう姚萇に勧めた(『晋書・姚萇載記』)。権臣・宇文護に実権を握られていた北周の明帝・宇文毓でさえ劉備の「大風歌」を引いて「還如過白水、更似入新豊」「挙杯延故老、今聞歌大風」と、志を明らかにした。

(65) 史書を読み聞かせてもらった石勒は、六国を諸侯に封じるよう酈食其が劉邦に進言した話を聞いてたいそう驚き、張良がそれを阻止したと聞いてようやく安心したという。北魏の名君・道武帝は『春秋』之義、大一統之美」を成し遂げると公言した（『魏書・太祖紀』）。節閔帝〔元恭〕にも「慙為万国首」「書軌一華戎」の言葉がある。赫連勃勃も「四海未同、遺冦尚熾」では「謝責」できないとし、「大禹之業」の復興をこめて華夏の「夏」を国号とし、「統一天下、君臨万邦」の意をこめて首都「統万城」を建設した。

(66)『洛陽伽藍記』巻2。

(67) 例えば、孝文帝は南朝の官僚制度を取り入れ、九品官制を正従上下30階に整備した。また、北朝の書道では、「雄強渾穆」の魏碑に加えて、「二王〔王羲之、王献之〕」を取り入れつつそこから剛柔併せもった美を生み出した。

(68) 献之『三礼大義』や徐遵明『春秋義章』などのように、北朝の「義疏学」は章句〔句読の学〕（北）と義理〔本質解釈〕（南）の結合である。

(69)『洛陽伽藍記』巻2。

(70) こうした北アジアや西域由来の芸術は「唐風」を媒体に東アジア全域に広がっていった。北斉の「蘭陵王入陣曲」は日本に渡って雅楽となり、「生きた化石」となって今日にまで伝えられている。インドと西域で流行した凹凸画法は、唐代の画家・呉道子らに吸収され、高麗と日本にも伝わった。奈良の法隆寺金堂壁画は今も現存する。王鏞主編『中外美術交流史』中国青年出版社、2013年、P60。

中国の五胡侵入と欧州の蛮族侵入(3)　中西比較

自治と郡県

歴史観は文明に由来し、文明が異なれば歴史観も異なる。中国五胡は中華文明の「合の論理」を発展させ、欧州蛮族はローマ文明の「分の論理」を増幅させた。

ローマ帝国は統治機構の上層に文官システムを有していたとはいえ、その本質はやはり下層すなわち末端の自治である。以降の欧州は政治体制の如何にかかわらず、その国家統治の枠組みに都市、エスニック集団、領主それぞれの自治形態を自然にはらんでいた。古代ギリシャ都市国家の民主政治、ローマ帝国の自治都市、城塞が林立していた中世初期の封建王国、中世後期のイタリア都市共和国（ベニス、ジェノバ）、さらには「小共和国」構想に基づく北米の各州共和国や「一民族一国家」モデルに基づいた欧州の民族国家に至るまですべてそうである。

時代を問わず、自治は欧州人の制度史観と欧州人が共有する価値観を解明する重要なカギである。タキトゥスが見出した「蛮族の自由」、モンテスキューが盛んに称賛した蛮族の孤立分散的性格(71)、ギゾーが解明した、アングロ=サクソンの地方自治の伝統に由来する代議制精神(72)、さらにはトクヴィルが考察した、米国デモクラシーを支える地域自治(73)……すべてに銭穆の次の言葉があてはまる。「欧州史を見渡してみると、ギリシャ以来ずっと分裂と崩壊の連続で、それぞれが国をつくり互いに協力しなかったことがわかる。大きな敵や危機を前にしても相変わらず融和、団結することができなかった。……西洋の歴史は複雑なようにみえて実は単純である。複雑なのは表面だけで内実はそうではない。……西洋史でいうところのイギリス人、フランス人は、化学でいえば純物質に相当する。一方、中国史における中国人は、化学でいえばある種の混合物である」(74)

対照的に、中国は上層の構造がどのようなものであれ、国家統治の基盤は常に県・郷二層の末端行政権力だった(75)。ファイナーが言ったとおり中国は近代的な官僚機構の「発明者」である(76)。

秦漢帝国が最初に「大一統」中央集権郡県制国家を築いて以降、末端行政権力の構築は、中央が派遣し中央が管理する文官の体系に組み入れられていた。歴史上きわめて短期間の封建割拠時代があったとはいえ、「大一統」中央集権郡県制が主流をはずれたことはない。行政的支配権のない食邑《しょくゆう》制〔食邑は臣下に与えられた領地。紀元前2世紀以降、領主の支配権は形骸化〕や地方の官紳合作制〔郷紳（地方の実力者）と官僚が協力して地域を支配するありかた〕など、封建制度の亜種が残っていたにもかかわらず、これらの自治権は限定的で、早くから国家権力が社会の隅々にまで浸透し、欧州式の自治は中国に存在しなかった。

自治と中央集権はそのまま二つの文明ロジックである。

ローマの視点で秦漢帝国をみると、中央集権の弱点は挙足軽重、一地方の反乱が全国レベルの大動乱に拡大転化しやすい点にあると考えられる。それに比べてローマ帝国は、生じた反乱のすべてが局所的で（バガウダエの蜂起を除く）、これは自治の長所である。「漢帝国の存立を脅かした中国式の農民蜂起がローマで生じたことはない」─（ファイナー）(77)

一方、秦漢帝国の視点でローマをみると、ローマ後の欧州がなぜ人種・宗教をめぐる対立を千年にもわたって延々と続けてこられたのか不思議に思える。4世紀から6世紀にかけての6度にわたるビザンツとペルシャの戦争、7世紀から11世紀にかけて400年続いたアラブとビザンツの戦争、8世紀から15世紀の800年間絶えることがなかったヒスパニアのキリスト教徒とムスリムの戦争、10世紀から13世紀にかけての9度の十字軍遠征、13世紀から15世紀のビザンツによるオスマン侵攻やスコットランドの対イングランド戦争、そして全欧州を巻き込んだ30年戦争（1455年~1485年）。民族と宗教が真の和解を見出した時期はわずか1世紀もない。「文治政治」では、中国が前近代の世界全体をリードしていたといっても過言ではない。「ローマの自治」の方が優れているというファイナーでも次のように認めざるを得なかった。「漢帝国は他の国や帝国（とくにローマ）と違い、軍事的栄光を軽蔑していた。軍国主義に衷心から反対していたのである。その特徴は『教化』である。中国人流にいえば『文』である。こうした宗教上の寛容と文明教化の唱導が帝国の理想と栄光を形づくっていた」(78)

「小共同体」を好む西洋社会は、都市国家から封建自治へ、そこからさらに小共和国、米国の地域自治へと至り、最終的に個人の権利が何にも勝る自由主義へと変化していった。中国社会にも血縁集団、三老（県や郷に置かれた住民教化担当の官吏）や郷紳を中心にしたコミュニティー、各種民間結社など様々な「小共同体」があった。しかし、それらはいつでも「より大きな共同体」を目指していた。すなわち「修身・斉家・治国・平天下（個人の修養、家族の秩序、国家統治、天下の安寧を連続的にとらえる）」である。

ブライアン・ダウニング、チャールズ・ティィリー、ウィリアム・マクニール、マイケル・マンなど多くの西洋の学者には、中世の分裂と反乱がかえって進歩をもたらしたという自負がある。近代以前に欧州で生じた一連の戦争が欧州の常備軍を、欧州の理性的官僚制度を、そして欧州近代民族国家と工業資本主義を生み出したとみるからだ(79)。曰く、この種の数百年続いた「低強度」で、一度で相手を壊滅するのが難しいような局地的紛争は、そのことが絶えず経験を総括し、技術の蓄積型発展を進める余地を敗れた側に与えた。封建社会の分裂的階級的性格は商業資本を生み出すのに有利で、独立した商業都市の出現をもたらした。その結果、資本主義への道がよりいっそう開かれた。こうした封建制度、弱小国家、多国間競争の体系は、欧州近代があらゆる「老いた文明」を乗り越える要因になったと。

これは暗に次の意味を含んでいる。極度に統一された中国には千年も続くような局地紛争や多元的競争システムがない。極度に集権的な中国には世襲貴族や商人が支配する自治都市がない。だから工業資本が生まれる余地がなかった。したがって「大一統」はかえって歴史の進歩の妨げになったと。しかし、プリミティブな資本主義の誕生と引き換えに千年にもわたる「戦乱地獄」と「民族宗教対立」に耐えることを望むかどうか、中国人に問えば大半の答えはＮＯだろう。春秋時代の中国は多くの国が相争う分封制の時代だった。秦がその流れに逆らって六国を統一したのは、また、「秦＝暴政」という概念が世に蔓延するなかでそれでも漢が「秦制の継承」にこだわったのは、戦国３００年間の大規模な戦争で「天下共に戦闘に苦しみ休まざるは侯王有るを以てするなり」が世の中の共通認識になっていたからに他ならない。中国はこの段階――封建制、分裂、戦乱の段階を経験していないのではなく、経験したうえでこれを放棄したのである。いわゆる「常備軍」も「理性的官僚制度」もすでに秦漢時代にはあった。欧州より１８００年早い。中華文明の近代的転換に突き付けられた真の難題は、「大一統」の維持を土台にしつつ、いかにして自由と秩序を同時に実現するか、いかにして「大共同体」と「小共同体」それぞれの利点を兼ね備えるか、ということである。これは西洋の多元的自由主義より高い次元の目標である。

華夏と内陸アジア

西洋中心主義者は常にローマとフランクをモデルにして他の文明を理解する。例えばフランクの「複合型王権」である。これは、カール大帝は「フランク王兼ランゴバルド王」という部族の長がメインでローマ皇帝という身分は二の次に過ぎなかった、カールの帝国は多民族の連合体で皇帝の命令一つでイタリア、フランス、ドイツに分かれることが可能だった、というものである。そして、この種のモデルをそのまま中国にあてはめる学者がいる。清朝皇帝もまた複合型王権だったという米国の「新清史」学者がその例である。曰く、清朝皇帝は満州族の族長、漢族の皇帝、モンゴルの可汗〔ハーン〕、チベット仏教文殊菩薩の化身といった複数の身分・地位が一つになったものである。皇帝のこの「多重一体性」を唯一の頼みにして中原、東北、モンゴル、チベットの統一が保たれていたので、ひとたび朝廷が瓦解すると各々が自由勝手にふるまえるようになったと。これは満州・モンゴル・チベットと中原の統治システムを完全に無視している。清朝は東北でも柔軟なやり方で郡県制を施行し、中原でもいち早く満漢隔離政策を廃止した。部族政治も一時は存在したが、モンゴルの盟旗制度〔モンゴル諸部の伝統的支配関係を解体して盟と旗に再編〕や南方の改土帰流《かいどきりゅう》〔部族長的性格をもった土官《どかん》・土司《どし》を廃止して統一的な地方行政に再編〕のように最終的には郡県制に移行していった。中国胡族の君主は自らを部族の長ではなく、なによりもまず中国皇帝と認識しており、胡漢の別なく中国人全体を統治する合法性を体現していたのである。

幾人かの西洋の学者は「文化的シンボル」と「自己同一性〔self identity〕」を用いて中国史を読み解こうとする。新疆、チベット、モンゴルおよび東北三省を「内陸アジア（inner Asia）」として他と区別し、北方エスニック集団が建てた北魏から遼・金・元・清にいたる王朝のなかに「内陸アジア」由来の文化的同一性を探し求め、しかも各王朝を「浸透王朝」と「征服王朝」に区分する。また彼らは、北方エスニック集団特有のいくつかの習俗、儀礼を根拠に、これらの王朝には内陸アジア的性格があると決めつける。例に挙げられるのは、北魏・高歓《こうかん》がおこなった代都《だいと》旧制〔黒い獣毛で織った敷物を被った七人が帝を担ぎ、上天を拝んだのち群臣の拝賀を受ける、洛陽遷都以前の鮮卑式皇帝即位儀式〕、モンゴルが残したオルド〔行宮《あんぐう》、モンゴル式の宮殿および宮殿習俗〕、清朝で盛んだった薩満《シャマン》祭祀〔「立桿大祭」といわれる大祭をはじめとする満族の宮廷祭祀〕などである。これは「儀礼」と「政道」の区別を曖昧にするものだ。中華文明の核心は儀礼、習俗、芸術、生活習慣ではなく、どのような制度を基本に政治がおこなわれているかにある。北方エスニック集団出身の天子が黒い獣毛のうえで即位しようが郊祭《こうさい》〔典礼化された皇帝祭祀〕で即位しようが関係ない。冠冕《かんべん》をつけようが辮髪を残そうが、薩満信仰だろうが仏教信仰だろうがどちらでもかまわない。分割支配ではなく儒・法「大一統」を実践してさえいれば、部族神権政治ではなく郡県文官制を運用してさえいれば、そして、エスニック集団毎に差異を設けるのではなくすべてを同じ民とみなしているならば、それはすなわち中国の天子である。

高歓は鮮卑の旧礼で新皇帝を即位させたとはいえ、官僚体制と法体制の「漢化」を継続した。北斉の律令は隋唐に受け継がれ、官僚選抜試験の実施規模は南朝をはるかに凌駕していた。

中央アジア・西域〔今の新疆〕に逃れた遼の耶律大石《やりつたいせき》はカラキタイ〔喀喇契丹、西遼〕を建て、自らを「グル・ハン」と称した。当時の中央アジアでは「イクター」とよばれる分封制がおこなわれていたが[80]、耶律大石はこれを廃止し、中原王朝の制度を導入した。行政は中央集権、直轄地では文官制（シャフナ制）[81]を実施し、軍の指揮権を中央に集中[82]、漢字を公用文字にした[83]。税は各戸別に1ディナール〔5ルーブル相当の金貨1枚〕を徴収するのみで、バルトリドによればこれは中国版「十分の一税」である。このカラキタイという名称から、ロシアと中央アジア地域では中国のことをいまでも「キタイ〔契丹、Китай〕」という。

元朝は中央集権制で、政務全般を統括する中書省を中央に置き、地方には「行中書省」を設置した。文化的には各宗教がパラレルに存在したが、政治的にはやはり儒・法を統治理念にした国だった。他の3大ハン国〔フレグ、ジョチ、チャガタイ〕はすべて分封制だったが、1271年にフビライが『易経』の「大哉乾元」から取って国号を「大元」と改めて以降は中原王朝に変化した。元朝の歴代皇帝は例外なく儒教を学び、孔子を尊んだ。そうなれば漢式の官僚制度は自ずと整備されていく。尊称、廟号〔皇帝死後の廟室の称号〕、諡号《しごう》〔おくりな〕といった漢式の名称を用い、都城、宮殿、朝儀、印璽《いんじ》〔天子と国家の印章〕、避諱《ひき》といった漢式の儀式・制度で周囲を固めた(84)。

清代の政治制度構築については言うまでもないだろう。理論的資源、制度設計のすべてが中華文明に由来している(85)。

草原エスニック集団が建てた王朝の習俗や儀式は何の説明にもならない。国家の性格は主にその統治体系によって変わる。カール大帝が「神聖ローマ」の帝冠を受けたからといってカロリング朝が「ローマ」になったわけではない。フランクの統治体系がローマとは別物だからである。逆に、剃髪易服〔髪を剃り服を変える〕

を強要したとしても清朝は当然ながら中国である。なぜならその統治体系が中国だからだ。

「華夏」と「内陸アジア」は一貫して一方が他方を包含する関係にあった。遡れば夏・商（殷）・周三代のなかにも「内陸アジア」はあった。陝西省の石峁《シーマオ》遺跡からはどうみてもユーラシア草原風の石像や石の城壁が出土している。殷墟の墳墓からは草原エスニック集団スタイルの影響を受けた青銅器が大量に発掘されている(86)。甘粛省礼県の秦公墓は「秦人」のなかに数多くの羌族、氐族が混じっていたことをはっきりと物語っている。時代を下って、「最後の漢族王朝」といわれる明朝だが、実際にはモンゴルの名残を数多く内に含んでいた。朱元璋の詔書は擬蒙漢語（蒙文直訳体）風の文体で書かれている。明代皇帝もまた、草原の可汗、チベットの文殊菩薩と転輪聖王《りんてんじょうおう》の化身」、イスラムの庇護者といったいくつもの身分・地位を兼ねていた(87)。「明代漢服」さえも元風である(88)。

2015年、前漢時代の海昏侯《かいこんこう》（廃帝・劉賀）の墓から黄金の副葬品や身をよじる羊の紋様をあしらった象眼細工の青銅の馬用装飾品が大量に出土した。それらはすべて匈奴文化の影響を受けたものである(89)。一方、2019年にモンゴルのゴルモド匈奴墓から銀に金メッキを施した竜形の器物が出土しているが、この竜形は典型的な「前漢型」である。長城外の「弓を引く民」と長城内の「冠帯の室」、両者ははたして見知らぬ他者だったのか、それとも文明を共有する近親者だったのか。

人種、宗教、習俗、神話で世界を区分するのが西洋文明の習わしである。歴史的にみて、近代的な文官制度の出現が遅く、政治が社会を統合する伝統にも乏しいからだ。近年の西洋は「文化的シンボル」と「自己同一性」を強調するが、同時にそれは「部族政治〔Tribal Politics〕」の分断を自らに招く結果になっている。フランシス・フクヤマは「民主社会はますます狭隘化するアイデンティティによって粉々に砕かれようとしている。この道の先には国家の崩壊があるのみであり、最後は失敗で終わるだろう」という。フクヤマが提唱するのはある種の「信条式ナショナル・アイデンティティ」だ。「この種のアイデンティティは、個人的特質、人生経験、歴史的紐帯、宗教的信仰の共通性のうえに築かれるのではなく、核心的な価値観と信念を軸に形成されるものである。国家の根本理念に賛同するよう市民に促し、同時に公共政策を使ってニュー・カマーを意識的に帰属化することがこの理念の目的である」(90)

華夷の別と中華の包括性

華夷の別は古くから頻繁に取り沙汰されてきた。それはいまでも「中国とは何か」という議論の引き金になっている。しかし、多くの論者は史書から「片言隻句」を借りてきて論争しているだけで、歴史をトータルにとらえていない。

「華夷の別」の最初は『春秋公羊《くよう》伝』にみえる。「南夷与北狄交、中国不絶若線(南夷と北狄とが中国に接近したが、中国は1本の線のように曲らず屈しなかった)」(91)。「北狄」とは斉・桓公の尊王攘夷(周王を尊び、異民族を撃つ)の、最初の標的となった「白狄」を指し、「南夷」とは楚を指す。しかし戦国時代、とりわけ秦漢の時代になると、かつての「夏」と「夷」はともに「編戸斉民」で統合され、世の中すべてに王法〔皇帝の定めた法〕が行き渡り、エスニック集団の区別がなくなった。

2度目の「華夷の別」のピークは南北朝である。南北双方が相手を夷狄と称して正統を争った。唐代になってそれは下火になっている。唐・太宗は「古より帝王はみな中華を重視し、夷狄を蔑視してきたが、わたしだけがこれらを一視同仁として扱える」と言い、朝廷内外に各族のエリートを配した。後の「安史の乱」は藩鎮〔節度使〕権力の肥大化であって民族問題とは関係ない。

3度目のピークは宋代である。宋朝は経済・文化の発展を極めたが統一力がなかった。遼、金、西夏の軍事的脅威に直面(92)した宋朝は、無理やり自己を正統化して高低を区別するしかなく、真宗は泰山での封禅《ほうぜん》の儀を自作自演〔天書の降下など様々な演出がおこなわれた〕、士大夫もまた「華夷の別」を盛んに論じた(93)。しかし、実際は遼・金・夏いずれも漢文明を吸収しており、南北ともに同じ言葉を話していた。元代になると「華夷の別」は再び下火になった。いわゆる「四等人制〔モンゴル人、色目人、漢人、南人のピラミッド型階層統治」についてはいまでも疑義がある。

4度目のピークは明の中期である。明初、朱元璋は反元復漢をスローガンに掲げたが、ひとたび国が安定すると元朝が中原に入って統治者となったのは「天命」であると認め、天下の統一を鼓吹した。また、「華夷に別なく、姓氏は異なっても平等に慈しむ」とし、フビライを三皇五帝、両漢・唐・宋の開祖とともに歴代帝王廟に祀った。しかし、土木の変で英宗が捕虜になると、明朝の自尊心は大いに傷つき、フビライを帝王廟から追い出した。

5度目のピークは「明末清初」である。ただ、康熙《こうき》帝の孔子崇拝以降、清朝の歴代皇帝は漢文明の普及に力を入れ、「華夷の別」も再び影をひそめることになった。

華夷の弁別基準は統治理念と制度である。したがって、中華の道統、法統、政統を引き継ぎさえすれば天命を得ることができる。なぜなら、天下は何をも排除しないからである。「華夷の別」の強弱は国家の統一と分裂に左右される。おしなべて、分裂の世には各エスニック集団が互いに相手を「夷狄」といい、統一王朝になると為政者は「華夷の別」解消に尽力した。

ローマもかつてはそうだった。

ローマ帝国全盛期の哲学はコスモポリタニズムである。タキトゥスがゲルマン人の民主、尚武、天性の純朴さなどを「優れた習俗習慣」と称賛したように、4世紀までのローマの歴史家は「蛮族」への賛辞を惜しまなかった。マクシミヌス・トラクス、ピリップス・アラブス、クラウディウス2世など、帝国中期以降の皇帝には「蛮族の血筋」をひく者が多い。ガイナス、サルス、バクリウス、アエテゥウス、オヴィダなど「蛮族」出身の名将も数多くいる。西ゴートの侵入と戦ったローマの名将スティリコもヴァンダル人である。しかし、4世紀を境に帝国は分裂し、ローマ人は蛮族への恨みを募らせていった(94)。6世紀のある歴史家は帝国衰亡の元凶としてコンスタンティヌス帝を槍玉にあげるが、その理由は大量の蛮族を引き入れたからだとしている。他方、蛮族の側もまた「英雄には自身の来処がある」ことを証明しようとした。テオドリックは晩年にポエティウスの裏切りにあうと、直ちに宮廷史家に

「ゴート人史」の作成を命じ、17代にわたる一族の輝かしい歴史を強調した(95)。

共通点と相違点を内に有しているのはどの文明も同じである。共同体が分裂するとき、政治の中心にある各々は、自他の境界を定めて自身の権力を強化するべく必ず相違点を誇張し、共通点を軽視し、分裂を永久に固定化してしまう。共通の祖先、言語、記憶、信仰を持っていたとしても、政治に多基軸的な争いがある限り必ずこうした悲劇が生まれる。宗派の分裂、エスニック集団の崩壊はすべてこの類だ。

超大規模の共同体にとっては、文化が多元的に存在できるとしたらその土台はやはり政治の統一である。政治的一体性が強固なほど各々の文化が思う存分その個性を伸ばすことができる。逆に政治的一体性が脆弱なほど文化は各々対立しあい、最終的に多元性は消滅する。一体と多元は二律背反的関係にはない。強弱を共にする関係である。一体と多元のこの弁証法を理解しなければ、世界と自らは分裂と混乱の淵に入り込んでしまうだろう。

ローマのパンテオン。(中国新聞社)

山西省大同市にある雲崗石窟。(中国新聞社)

「レオ3世のカール大帝への授冠」1517年、ラファエロ・サンディ作

古代の場景を再現したろう人形、内モンゴル博物館。西暦386年、拓跋珪は大軍を率い盛楽に入城、ここを首都に北魏政権を建てた。(FOTOE)

(71) モンテスキュー著、張雁深訳『論法的精神』商務印書館、1963年、P241。
(72) フランソワ・ギゾー著、張清津訳『欧州代議制政府的歴史起源』復旦大学出版社、2008年、P240。
(73) トクヴィルの指摘は以下の通り。民主国家が自由を保てるのは法制度ととくに習俗〔mœurs〕のおかげである。イングランドの子孫である米国人の法制度と習俗は、彼らが絶大な力をもつに至った特殊要因であり決定的要素である。そして、米国人の習俗で最も大切なものが地域自治である。「地域自治制度は多くの専制を抑制すると同時に、人々に自由を好む習慣を育み、自由を行使する術を教える」。トクヴィル著、董果良訳『論美国的民主』商務印書館、2004年、P356、P332。
(74) 銭穆『中国歴史研究法』九州出版社、2012年、P113。
(75) 漢代の地方行政機構は郡と県の2層のみだったとはいえ、県以下の末端支配機構が非常に整っていた。郡の長官〔太守〕と県の長官〔県令〕はともに中央から派遣された。県管轄地域はさらに複数の郷と里に分かれ、「三老」が統轄していたが、民の教化を司るのみで社会行政を担っていたわけではない。実際の行政実務はすべて嗇夫、有秩、游徼がおこなっていた。嗇夫と有秩は徴税、労役差配、訴訟の担当、游徼は事実上の派出所所長〔公安担当〕である。郷のもとには亭長が管轄する亭が置かれ、亭長は法律と秩序の維持や宿駅の管理にあたり、警察権ももっていた。亭のもとには里が置かれ里正が管理していた。ファイナー著、馬百亮、王震訳『統治史(巻一):古代的王権和帝国』華東師範大学出版社、2010年、P332。
(76) ファイナー著、馬百亮、王震訳『統治史(巻一):古代的王権和帝国』華東師範大学出版社、2010年、P71〜P72。

(77)ファイナー著、馬百亮、王震訳『統治史(巻一):古代的王権和帝国』華東師範大学出版社、2010年、P348。
(78)ファイナー著、馬百亮、王震訳『統治史(巻一):古代的王権和帝国』華東師範大学出版社、2010年、P350。
(79)例えば、英仏両国は百年戦争(1337年~1453年)遂行下で国王直属の常備軍と直接税の仕組みを同時に生み出した。しかし、貴族、ローマ教皇庁、都市中産階級からの圧力が重なり、それが制約となって欧州諸国は中国式発展を可能にする国力をついに得ることができなかった。
(80)趙鼎新「中国大一統的歴史根源」『文化縦横』2009年第6期。
(81)バルトリド著、張麗訳『中亜歴史:上冊』蘭州大学出版社、2013年、P138。
カラキタイの直轄領地にはハーン権力を代行するシャフナが派遣された。これは、地方の安定を維持する社会管理制度である。シャフナは地方長官だが、一定の軍事力を有する地方行政組織そのものを指すこともあり、地方政務と租税徴収にあたっていた。こうした官僚制度の構築経緯は『遼史・西遼始末』に明確な記述があり、北庭都護府に7州・18部族の王を集めた大会の後に耶律大石が自らの官僚システムをつくったという。「六院司」「招討使」「枢密使」などの大臣の職名から、カラキタイの官僚制度は遼の北面官・南面官制度を踏襲したものであり、中央集権と属国制度を引き継いだものであることがわかる。
(82)バルトリド著、張麗訳『中亜歴史:上冊』蘭州大学出版社、2013年、P49。
(83)近年、キルギス共和国でカラキタイの銅銭が4枚発掘されているが、形状は唐銭に酷似しており、「続興元宝」と漢字が刻印されている。

(84) 張帆「論蒙元王朝的〝家天下〟政治特征」『北大史学』2001年第1期、P50～P57。
(85) 「三代の治」復興をかかげ、曲阜孔子廟行幸で三跪九叩頭の礼をおこない（康熙帝）、儒教経典を積極的に学習、経書解釈の権威を手中に収めた。華夷の別の再構築という点では、徳を有する者が天下の主君になること、「人種」ではなく「礼儀」による弁別を強調した。南巡の回数も多く（康熙帝、乾隆帝）、明の太祖を供養するため明孝陵で三跪九叩頭の大礼をおこない（康熙帝）、江南士大夫を懐柔した。中央では孝道を唱導し、地方では郷約〔郷村秩序維持のための規約と組織〕や宗族組織の制度化にむけた再編を進めた。楊念群『何処是〝江南〟』三聯書店、2010年。
(86) 典型的な北方草原青銅器としては、環首刀、獣首刀、鈴首刀、鈴首剣、有銎斧、弓形器、車馬器などがある。何毓霊「殷墟〝外来文化因素〟研究」『中原文物』2020年第2期。
(87) 鐘焓「簡析明帝国的内亜性：以与清朝的類比為中心」『中国史研究動態』2016年第5期。
(88) 羅瑋「明代的蒙元服飾遺存初探」『首都師範大学学報（社会科学版）』2010年第2期。
(89) 馬用の装飾品である「当盧〔馬の頭に装着する面〕」に、身をよじって遠くをみつめる独角羊が描かれている。これは典型的なユーラシアステップ風デザインで、匈奴の墓から出土した馬用の装飾品に酷似している。
(90) Francis Fukuyama「Against Identity Politics: The New Tribalism and the Crisis of Democracy」『Foreign Affairs』2018年Vol・97、No・5。
(91) 『春秋公羊伝・僖公四年』
(92) 979年、宋の太宗は北伐の際に「若北朝不援、和約如旧、不然則戦」と言った。『遼史・景宗紀下』

(93)程頤に「聖人恐人之入夷狄也，故《春秋》之法極謹厳」という言葉がある。また、陸遊、辛棄疾を代表とする南宋の詩詞には「胡虜」「腥羶」の表現で北方を忌み嫌うものが多い。邱濬『大学衍義補』巻75。

(94)「放火、殺人、略奪……ゴート人はいたる所で狼藉を働いた。人と見れば老若男女の別なく殺し、乳飲み子さえ容赦しなかった。女たちは目の前で夫を殺されたあと拉致された。少年と成年男子はなすすべなく両親の死体から引き離され、無理やり連行された。老人の多くは両手を縛られて異郷に流された。灰燼に帰した故郷をみるその目からは泉の如く涙があふれた。彼らは命こそとりとめたものの財産と女を失ったわが身を嘆いた」。ピーター・ヘザー著、向俊訳『羅馬帝国的隕落』中信出版社、2016年、P200。

(95)ピーター・ヘザー著、馬百亮訳『羅馬的復辟』中信出版社、2020年、P5。

中国の五胡侵入と欧州の蛮族侵入⑷　結びの章

母体への回帰

一体と多元の概念は20世紀中国の2人の偉大な学者に葛藤と交錯をもたらした。1人は顧頡剛《グー・ジエガン》である。新文化運動は血気盛んな一群のラディカリストを生み出した。顧頡剛はその嚆矢に数えられる。1923年、この蘇州出身の30歳の青年は三皇五帝を激しく攻撃し、上古史は儒家が次々に「積み上げて」つくったものだと考えた(96)。彼は夏・商・周の存在を証明したいならば、その証拠を提出しなければならないと、実証的な方法ですべてを詳らかにすることを主張した。また、社会学と考古学の方法で古書を互いに照らし合わせ、「『経書』や『史書』、『〜伝』に記されたすべての偶像を断固として打倒する」(97)とした。この運動は極限まで

――「夏禹は蟲だった」というまで――エスカレートした。胡適は「古を疑って失敗しても、古を信じて失敗してはならない」と、これを大いに称揚した。

顧頡剛はこのような方法で「各民族の出自は一つ」「この地〔中国〕は最初からずっと統一されていた」という考えを改めるべきだと提起したのである。古代は「一つの民族に一つの始祖が認められるだけであって、たくさんの民族に共通する始祖などいない」「元来、各々には各々の始祖があるのに、どうしてその一元化を求めるのか」ということだ(98)。こうした「疑古論」が世に出ると思想界に激震が走った。歴史の崩壊はすなわち「中国アイデンティティ」の崩壊であると。しかし、顧頡剛は意に介さなかった。腐りきった2000年の知的系譜はこのようなすべてを刷新する方法でしか再構築できない、彼の眼にはそう映った。新文化運動を先頭で担った人々同様、彼もまた新しい中国の創造に全力を傾けていたのである。

しかし、上古史に最初に疑義を呈したのは顧頡剛ではなく、戦前日本の東洋史学者グループである(99)。20世紀初頭、彼らは東アジア文明の盛衰、民族間の消長遷移、国家の興亡を東洋諸民族の視点で描き出した。その代表的人物である白鳥《しらとり》庫吉《くらきち》は実証史学の方法を提起し、尭舜禹は実在しない、後世の儒家が捏造した「偶像」にすぎないとした。元々、乾隆《けんりゅう》・嘉慶《かけい》の考証学精神の影響を強く受けていた顧頡剛は白鳥庫吉の論を拳拳服膺《けんけんふくよう》（常に心に刻む）し、「打倒上古史」を高らかに宣言したのである。

しかし、この「東洋史の大家」といわれる学者たちは学術の新境地を開く一方、「漢地十八省」論、「長城以北は中国に非ず」論、「満蒙蔵回は中国に属さず」論、「中国無国境」論、「清朝は国家に非ず」論、「異民族支配は幸福」論など、「人種をもって中国を解体する」一連の理論を体系化していった。現在ではこれが米国「新清史」観の前身となり、李登輝ら台独派の拠り所にもなっている。しかも彼らは、魏晋南北朝以降「古くからの漢族」はすでに衰亡しており、一方で満蒙民族もまた傲岸不遜な「夷狄病」に罹っているとし、北方民族の武勇精神と南方漢族の精緻な文化の優れた点を結びつけ、東アジア文明の弊害を救える「文明の最後の拠り所」たりえるのは日本だけだと考えた。しかも、日本文化は中国文化に触発されて育ってきた、いわばその直系子孫であり、中華文明の継承者たる資格を十分に備えており、中華文明の中心は将来日本に移るだろうとした。

顧頡剛らは目が覚めた。「九・一八（１９３１年の満州事変）」に直面し、かつて東洋史学に傾倒していた彼は学術と政治の関係をついに悟ったのである。

日本は続けて中国南西部のタイ語族とミャンマー語族に独立を教唆、１９３８年にこれを目の当たりにした顧頡剛は、傅斯年《チュワン・スーニエン》の考えにも心を動かされ[100]、自身が名を成した理論をついに否定するに至る。翌年２月９日、病にあった彼は杖をつきながら机に向かい、『中華民族は一つ（中華民族是一個）』を書きあげた[101]。彼は国内の各エスニック集団を「民族」で線引きすることに反対し、これを「文化集団」で線引きするよう提起している。「元来、古くからの中国人は文化という観念のみを有しており、人種という考えはもたなかった」からだと。事実上これは「国族」という概念――「同じ一つの政府の統治下にある人民」は同じ国族すなわち中華民族に属するという概念の提起である。

彼は自身の出自を例に挙げて説明する。「わたしの姓は顧で江南の旧族だが、思い返しみてもわたしが中国人あるいは漢人であることを否定する人はいなかった。しかし、周秦時代のわが一族は文身断髪の百越〔浙江省からインドシナにかけて分布した海洋系の民族〕に属し、当時は福建・浙江沿岸に暮らしていたので中国とは交流がなく、事実として中国人とはいえない。われわれの祖先である東甌《とうおう》王が漢王朝に帰心し、配下の民を長江、淮河《わいが》一帯の地に移住させるよう武帝に請うて以降は…… われわれは中華民族の一員ではなく『越族』だというのは通らなくなった」

夏商周3代の「続統」は後世儒家の捏造と一貫して主張してきた顧頡剛が、今度は商から周への遷移を論証し始めた。「商王の末裔である孔子でさえこう言わなければならなかった。『周は夏商2代に鑑みて郁郁《いくいく》たる文化を創造した。わたしは周に従う』。また、孔子は『周民族』や『商民族』という言い方を好まず、『周公東征の遺恨を忘れてはならない』とも言わなかった。むしろ常々夢にみるほど周公をこよなく慕った」。「この気概と度量はいかばかりか。ここには狭隘な人種観念は微塵もない」(102)

『中華民族は一つ』は発表後、有名な論争をよんだ。疑問を呈したのは費孝通――顧頡剛より一回り以上若い人類学者であり民族学者である。当時彼は29歳、顧頡剛とは同郷で、英国留学から帰国したばかりだった。

費孝通は、「民族」とは文化、言語、形質〔身体の形と質〕の差異に基づいて形成される集団であり、科学的概念であると考えた。中国国内には確かに異なる民族が存在する。これは客観的事実であって、政治上の統一を求めてその区別を人為的に消し去る必要はない。敵が「民族」という概念を用い、「民族自決」と叫んで中国を分断するというのは杞憂であると。彼が強調したのは「文化、言語、形質が同じだからといってその人々が同じ一つの国家に属する必要はない」、「一つの国家が一つの文化・言語集団である必要はない」(103)、民国政治の現状がまさに多基軸であり、これまでの中国にも複数政権分立時代はあったからだ、ということだった。

これを聞いた顧頡剛は、久しく病床にあったにもかかわらず、「喉に骨がつかえる」気持ちで起き上がり、『再び「中華民族は一つ」について』〔続論中華民族是一個〕を書いた。彼はこう反論する。中華民族の「国族性」は十分に強大で「分裂」は「摂理に反する状況」だ。分断をもたらす軍事力が少しでも弱まりさえすれば、人民自らが分裂状態を終わらせるだろう。もし「長期分立」が動かしがたい自然の摂理というのなら、中国はとっくにバラバラになっていただろうし、一つの民族を形成することもなかっただろう(104)。最後は怒号ともとれる言葉で締めくくられている――「まあ、待つがいい。日本軍が撤退すればわかる。そのとき東北4省と被占領区の人民がわれわれに格好の例を示してくれるだろう」(105)

先達の病床からの怒りに費孝通は沈黙し、再び反論することはなかった。「中華民族は一つなのか否か」は結論の出ない難題として残されることになった。

41年後（1980年）、顧頡剛は87歳で世を去った。その8年後、78歳の費孝通は『中華民族の多元一体構造(中華民族的多元一体格局)』と題する長い講演をおこない、論文としても発表した。彼はここで中華民族が自然発生的な実体をもって存在することを認めた。「自覚的な民族の実体としての中華民族は、この100年来、中国が西洋列強と対抗していくなかで出現したものであるが、自然発生的な民族実体としては数千年の歴史プロセスを経て形成されたものである。その主な流れは、分散し孤立して存在した数多くの民族単位に始まり、それらが接触、雑居、結合、融合、そして同時に分裂と消滅を経て、一方が来れば他方が退く、一方が他方を包含するといった統一体、しかも各々が個性をもった多元的統一体を形成するというものであった」(106)

さらに5年後の1993年、蘇州に帰省した費孝通は顧頡剛生誕100年祭に参加し、60年前の難題にはじめて答えた。「あとになってわかったが、顧先生は日本帝国主義が東北に『満州国』を成立させ、内モンゴルで分裂を煽動したことに相対していたからこそ、愛国の情熱から胸に義憤を抱きながら、『民族』を利用して

わが国を分裂させる侵略行為に全力で反対した。わたしは先生の政治的立場を完全に擁護する」(107)

費孝通の「多元一体」論は、「一元」と「多元」の間をとった、折衷的で弥縫的な「政治的言動」に過ぎないとの批判がある。しかし、西洋の民族概念で「中国の民族」を描くことは不可能であり、そこに問題の根本があると彼は考えた。「西洋の既存の概念を安易に剽窃して中国の事実を論じるべきではない。民族は歴史的範疇に属する概念である。中国民族の実質は中国の悠久の歴史によって決まるのであり、民族に関する西洋の概念を無理やりあてはめるならば、辻褄の合わない部分がたくさん出てくるだろう」(108)

費孝通は自分でも晩年の転換を説明している。「曲阜市《きょくふ》〔山東省〕の孔林〔孔子の墓地〕を逍遥しているときふと思い至った。孔子は多元一体の秩序をつくったのではなかろうかと。しかも彼は中国でそれに成功し、とてつもなく大きな一つの中華民族をつくった。中国がチェコスロヴァキアや旧ソ連のように分裂しなかったのは、中国人に中国人という意識があったからである」

顧頡剛と費孝通――2人の葛藤と交錯は近代中国知識人に共通する精神的歴程の反映である。西洋の概念を用いて中国の知的伝統を作り変えようと渇望すれば、西洋の経験では自身の文明をトータルに捉えられないことに気づく。政治から独立した西洋学術を望めば、今度はそれが実は政治と不可分一体であることに思い至る。そして最後は中華文明の母体へと回帰していくのだ。

他者の視点

中国は1世紀以上にわたって政治と文化の発言権を失い、「中国の歴史」はすべて西洋と東洋〔日本〕によって書かれてきた。同胞内の自他認識はすべて外来学術の枠で形づくられてきたのである。

例えば大漢民族主義や狭い民族主義の観点である。前者は「崖山《がいざん》の戦いの後に中国はない」、「明滅亡後に華夏はない」といったものだ。後者は「満蒙蔵回は中国にあらず」という認識である。これらはすべて当時の「東洋史」の負の遺産である。

また、「イデオロギー」を使って西洋史のベンチマーキングを試みる歴史学者もいる。西洋が「大一統」を専制政治の原罪であるといえば、こうした学者はその罪を元・清両王朝になすりつける。曰く、漢・唐・宋は元来「皇帝と士大夫がともに天下を治める」「開明的専制」であり、西洋に近しいものだったが、結果的に遊牧民族の「主・奴観」によって「野蛮的専制」に変えられてしまった……明朝の高度な集権体制は元朝軍事制度の名残である……中国に資本主義が生まれなかったのは清朝がその芽を摘んだからだと。このような結論になるのは、中国に未だ資本主義が生まれない内在的ロジックを掘り下げて研究していないからである。

さらに次の例がある。中国には「自由の伝統」が欠如しているから、いわゆる民主制度が発展しなかったという西洋の認識に対して、「農耕文明」は専制の、「遊牧文明」は自由の表れであることを論証しだす学者がいる。もし元が明に滅ぼされていなかったら、13世紀にはすでに商業と法規に基づいた社会形態が中国にもあったという主張だ。彼らには「自由な精神」の栄誉はゴートとゲルマンにのみ属し、匈奴や突厥、モンゴルには一貫して無縁のものだということがわかっていない。モンテスキューも書いているように、同じ征服でもゴートのそれは「自由」の伝播であり、韃靼（モンゴル）のそれは「専制」の伝播だった（『法の精神』）(109)。ゲルマン人は完全な自由を、ギリシャ人は部分的な自由を知っていたが、すべての東洋人は、いかなる自由も知らなかったとヘーゲルも書いている（『歴史哲学』）(110)

こうした諍いと泥仕合はすべて、われわれが常に他の文明の視点で自分たちをみることから生じる。もとより他の文明の視点は多元的思考にとってプラスではあるが、国際政治の荒波にのみこまれてしまうことが多い。過去もしかり、今後もしかりである。

中華文明は「人種」概念をもったことがない。しかし、それを超えるより強大な精神――「天下」という精神をもっている。初唐のほとんどすべての功臣は隋の大儒学者・王通《おうとう》の門下から出た。王通自身は漢人だが、中国の正統は漢人の南朝ではなく、鮮卑の孝文帝にあるといった(111)。孝文帝は「居先王之国、受先王之道、子先王之民（先王の国（周）に住み、先王の道を受け継ぐわたしもまた先王の民）」(112)と言ったからである。これが本当の天下精神、ということだ。

他のエスニック集団も同じである。

チベットもモンゴルも仏教を信仰したが、チベット仏教にせよ漢族地域仏教にせよ「無分別智（煩悩の源とされる分別を超えた智慧）」を教義にもつ(113)。中国ムスリムの「回儒思想」の伝統にも「西域聖人之道同于中国聖人之道。其立教本于正、知天地化生之理、通幽明死生之説、綱常倫理、食息起居、罔不有道、罔不畏天（西域の聖人の教えは中国の聖人の教えと同じで、公平中立、天地成り立ちの理を知り、来世今生の道理に明るく、三綱五常《さんこうごじょう》、倫理道徳、飲食起居、すべてが理にかない、すべてに天を敬う心がある）」(114)という教えがある。エスニック集団の壁を打ち破るこうした天下精神が中華文明の下地になっている。中華民族史とはすなわち「エスニシティの限界」を乗り越える「天下精神」の歴史なのだ。

中華民族の融合は奥深い感情にも満ちている。明末に書かれたモンゴル『黄金史』には、永楽帝は元・順帝の腹違いの子で、靖難《せいなん》の変（明初の皇位継承をめぐる政変）を経て明の皇統は密かに元に回帰し、「元の天命」は満人の入関まで続いたとある。明初の『漢蔵史集』にも次の記述がある。「モンゴル人が漢地大唐の朝政を管掌した」(115)。これがすなわち元であり、宋の末帝（蛮子合尊）は崖山で身投げしたのではなく、チベットに逃れて仏法を修め、サキャ派の高僧になり、最後は生まれ変わって朱元璋という名の漢僧になった。そして、モンゴルから帝位を奪い、モンゴル人によく似た風貌をもつ朱棣《てい》（永楽帝）という息子を授かった、と。「輪廻」と「因果」で宋・元・明の3王朝を互いに「前世後世」で結ぶ――これはもちろん正史ではなく野史であり、宗教上の伝説である。しかし、自他を包摂する大中華に対する当時の人々の素朴な共通認識であり、それぞれのエスニック集団がそれぞれのやり方で「運命共同体」的感情を表現したものである。こうした感情は、外来理論で中国を描く人には理解しがたいものだろう。

奥深い感情があってはじめて深い理解が生まれる。そして、深い理解がなければ真実を築きあげることはできない。結局、中華民族の物語はわたしたち自身の手で書かなければならないのである。

自らの物語

東晋・南北朝時代の３００年間の物語は、政権の移り変わりが目まぐるしく、多数の人物や事件が複雑に絡み合っている。見ただけで混乱するし、混乱すれば嫌にもなる。整理することの非常に難しい歴史である。しかし、中華民族の再構築と中華文明の飛躍的構造転換の謎を解くカギは、まさにこの３００年間に隠されている。七転八倒、我慢強くこの３００年と格闘しなければならない。それができなければ、自らの原点をみつけることは難しいだろう。

ここで『三国志演義』を引き合いに出そう。数百年人々の手あかにまみれてきた作品である。版も遺跡も事欠かない。歴史に疎《うと》い若者は、中国史＝「三国志」と思っている節がある。実は、三国時代はたった60年で、しかも中国史上最も後れた時代である。中国の人口は、明末の主食不足のときでも2000万人から6000万人の間を保っていたが、三国時代には1000万人にまで減っている。書中に描かれた、ややもすれば数十万にもなる大軍の会戦はすべて脚色である。曹氏父子の文治・武勲を除いて、後の300年の壮大な叙事詩に比肩しうるものは何もない。しかも、300年の間にもっと大規模な「三国鼎立」が幾度も出現している。その政治状況の複雑さ、君主、功臣、名将の活躍、兵員規模の大きさ、歴史的影響の激しさ、どれをとっても『三国志演義』とは比べものにならない。

三国鼎立を順に挙げると、まず江南の東晋、匈奴劉氏の前趙、羯石氏の後趙の鼎立、次に東晋、鮮卑慕容部の前燕、氐の前秦の鼎立、三つ目に東晋、羌姚部の後秦、鮮卑慕容部の後燕の鼎立、四つ目に江南の宋、匈奴赫連部の夏、鮮卑拓跋部北魏の鼎立、五つ目に江南の斉・梁、東魏、西魏の鼎立、六つ目に江南の陳、高氏の北斉、宇文《うぶん》氏の北周の鼎立である。ここには歴史を変えた英雄物語が数えきれないくらい含まれている。聞鶏起舞〔鶏の鳴き声を聞いたら起きて剣舞の稽古をする、目標のために奮闘努力する意〕、中流撃楫〔川の中流で楫を撃つ（舵を捨てる）、敵を征伐しなければ再びこの川を渡らないという不退転の決意〕の故事で知られる劉琨《りゅうこん》と祖逖、石勒と漢人軍師・張賓《ちょうひん》の「鄴城《ぎょうじょう》攻囲」、前燕・前秦・東晋北伐軍が雄を争った幾多の会戦、「苻堅の管仲」王猛、「前燕の霍光《かくこう》」慕容恪《かく》、「司馬徳宗の曹操」劉裕ら(116)大英雄の知恵と勇気、百万大軍を率いて渡江を試みた（この時代百万規模の渡江は他に例がない）苻堅の迫力と処刑を前にしたその落ち着き、無辜の功臣・崔浩の処刑時に数十の衛兵が尿をあびせる惨劇……(117)。最も劇的な風雲際会は、26歳の宇文泰《たい》が使節に扮し、まさに絶頂期にあった37歳高歓の様子をこっそりとうかがう一幕である。高歓の覇権が定まりつつあったこのとき、宇文泰は心中密かにこう思っていた。もし高歓が真の英雄ならば進んで投降しよう、自分と優劣に差がないのであれば徹底的に戦おうと。宇文泰はこの半日後に後者の決断をし、急ぎ西に取って返す。他方、使節〔宇文泰〕をみた高歓は「この小僧の目の異様さ」に感ずるところあり、追っ手を出したが間に合わなかった。北魏朝廷のこの一幕がその後の歴史を決した(118)。高歓は北斉の祖、宇文泰は北周の祖となり、双方の10年にわたる5度の会戦は、敖曹《ごうそう》〔高昂《こうこう》〕、竇泰《とうたい》、王思政、韋孝寛《いこうかん》らの名将を生み出した。宇文泰に従った関隴《かんろう》集団〔武川鎮軍閥《ぶせんちん》〕から出た楊忠の息子・楊堅は隋の初代皇帝となり、李虎《りこ》の孫・李淵は唐の初代皇帝になっている。集団の重鎮だった独孤信《どっこしん》の長女は北周・明帝の明敬皇后《めいけい》、七女は隋・文帝の文献皇后にして煬帝《ようだい》の母、四女は李淵の母、李世民の祖母である。一方、高歓の方はほとんどの名将に先立たれたが、その死後唯一残った侯景《こうけい》――彼は高歓その人のみに忠を尽くし、その子には背いた――はわずか8000の兵を率いて南下し、若き日は武勇を誇ったものの晩年は仏教に心酔し財政を圧迫した梁の武帝を監禁、餓死に追いやり、梁を滅ぼした。

こうした「帝王、名将、功臣」の他に「文人墨客」の物語もある。南朝の『子夜歌』、北朝の『木蘭辞《もくらんじ》』、鮑照《ほうしょう》の辺塞詩、陶淵明の田園詩、謝霊運の山水詩はいずれも唐詩の源とされる。江淹《こうえん》の『恨賦』『別賦』は李白によって繰り返し模写され、庾信《ゆしん》の『哀江南賦』は杜甫が終生吟じたものだ。王国維は六朝の「四六駢儷体《しろくべんれいたい》」を楚辞・漢賦と唐詩・宋詞の間をつなぐ「一時代の文学」とみなした(119)。蕭統《しょうとう》の『文選』が中国初の文章詩賦のアンソロジーであること、劉勰《りゅうきょう》の『文心雕龍』が中国文学の理論的集大成であること、鍾嶸《しょうこう》の『詩品』が中国初の詩論専門書であることは、いまさら言うまでもないだろう。

さらに、戦乱絶えないなかでの仏教の中国化の物語がある。五胡入華の乱世に際して、石勒と石虎《せきこ》に国師に奉ぜられた西域の胡僧・仏図澄《ぶっとちょう》は、幻術と因果説で絶えず石勒・石虎に「王者にならって徳による教化をおこなうこと」を諭した(120)。後趙滅亡後、仏図澄の弟子・道安は説法を続けながら襄陽《じょうよう》に移り、はじめて「不依国主則法事難立〔国主に依らざれば即ち法事立ち難し〕」を説き、「沙門不敬王者〔仏門は王者に従属しない〕」の教義を覆した(121)。苻堅は道安を迎えるために襄陽を攻め、道安は長安に移ってからまったく面識のない亀茲国の高僧・鳩摩羅什《くまらじゅう》を招くよう苻堅に進言した。そのため苻堅は西域に兵を出したが途中で前秦が滅亡し、16年後、後秦が鳩摩羅什を国師として長安に迎えたときには、道安はすでに他界していた。鳩摩羅什は「東行」という初心を忘れず、数百巻の仏典を翻訳し、大乗仏教中観思想と中国古典哲学の融合の基礎を築いた。南北の政権は長江を挟んで対峙していたが仏教の交流は途絶えることがなく、道安の弟子・慧遠《えおん》は南下して廬山東林寺で説法をおこない、慧遠の弟子の道正《どうしょう》も長安に北上、鳩摩羅什に師事した。同時期には建康〔南京〕であまたの名僧が活躍している。なかでも法顕《ほっけん》は仏典を求めて長安からパミール高原を越えてインドに渡り、南洋航路を経て建康に戻った高僧である。訪れた国30、かかった年数15年、この紀行をまとめた『仏国記』は南アジア諸国についての貴重な史料である。交流は南北だけではない。苻堅が西域を征服してからは、中印の僧侶も行き来が絶えなくなった。達磨が禅宗を中国にもたらすことができたのもこのおかげである。この300年の間に生まれた仏教の主な大宗派は、紆余曲折の過程を経ながら、仏教と政治の関係を整理するところから始めて「政主教従」のモデルを確立し、仏教と父母の関係の整理から因果と孝悌が矛盾しないことを明らかにし、同じく仏教学説と中国哲学の関係を整理して、そこから後の禅学・理学発展の先鞭をつけたのである。

3００年のあまたの物語のなかで、最も重要なものはやはり中華民族胡漢融合の物語である。われわれは何者なのか。漢人かそれともモンゴル人か、はたまたチベット人かウイグル人か、それとも満人か。何をもって中華民族といい、中華文明というのか。何をもって自己のアイデンティティとするのか、精神世界とするのか。3００年の歴史をみれば明らかになる。若者にも、文化人にも、そして西洋人にもこの3００年をもっとみてほしい。3００年の物語には、手に汗握る瞬間もあれば身の毛もよだつ恐怖を感じる瞬間もある。深く考えさせられる場面があるかと思えば、活気と寂寞がめまぐるしく変わる場面もある。

『勅勒歌《ちょくろく》』という民歌がある。誰もが一度は聞いたことがあるだろう。しかし、見渡す限り刀剣と血の海だった戦場でこの歌が生まれたことを知っている人はいるだろうか。高歓は宇文泰との10年にわたる戦争でむしろ負けることのほうが多く、河東の玉壁城下で最後の戦いに臨んだ。ときは吹き荒ぶ寒風に黄河もむせび泣く546年の秋である。高歓の20万の大軍は50日にわたる攻撃を敢行したが、折り重なる死者の犠牲はいまだ報われない状況だった。知略に長け生涯無敵を誇った高歓も、自らの生あるうちに宇文泰を滅ぼし、再び天下を統一することはできないと悟り、撤退を命じるしかなかった。あわただしい退却のなかで7万の戦死者の遺体をろくに埋葬することもできず、地面に大きな穴を掘って埋めるのが精いっぱいだった。晋陽に着くと高歓は病体をおして軍の士気を落ち着かせるべく、将軍・斛律金に命じて歌の音頭をとらせた。「勅勒の川、陰山の下《ふもと》。天は穹廬《きゅうろ》に似て四野を籠蓋《ろうがい》す。天は蒼蒼たり、野は茫茫たり。風吹き草低《た》れて牛羊を見る」。鮮卑語の歌詞がいつまでも優美に響き、まわりの将兵全員が唱和した。10年間の戦いで亡くした数十万の将兵を思い、自身の白髪頭とどこまでも続く大河に目をやりながら高歓はさめざめと涙を流した。ここから『勅勒歌』は世に広まったのである(122)。一方同じころ、西の宇文泰は『周礼』の黄鐘大宮〔十二律の音〕と雅楽の正音を復興し、同じく『周礼』に基づいて六官制〔行政官僚制〕を設置し、六芸〔六経〕を奨励した。30年後、この北周が北斉を滅ぼし、やがて隋唐時代が幕を開けるのである。

高歓は「鮮卑化」した漢人であり、宇文泰は「漢化」した匈奴である。中華民族融合300年の歴史のなかで、いずれも典型的な中国人である。彼らが戦をするのは自身のエスニック集団の利益のためではなく、天下統一のためである。こうしたことを中国の若い世代が進んで体得し守り抜かなければ、また、欧米の若い世代が積極的に知り理解しなければ、中西両文明を隔てる壁は紙のように薄くても決して破られることはない。ちょうどそれは、誰もが『勅勒歌』の存在を知りながら、その来歴に関心を向けようとしないのと同じである。

（脇屋克仁訳）

「十字軍によるエルサレムの占領」1847年、エミール・シグノール作

安徽省淮南市にある淝水古戦場跡。(中国新聞社)

古代ローマ「トラヤヌス市場」遺跡の列柱。(中国新聞社)

漢長城跡。(中国新聞社)

『木蘭辞』の練習をする小学生。(中国新聞社)

(96)この「積み上げて」説の核心は「時代が後になるほど伝説の古代史の期間が長くなる」、あるいは「時代が後になるほど古代史の知識は遡って増え、文献的証拠がないほどその量も多くなる」という点である。顧頡剛の考えに従うなら、古代史の順序はちょうど逆さまになる。つまり、盤古は一番遅く「発見」されたのに一番古くて格が高い(天地開闢の創世神)。以下、三皇(天皇、地皇、泰皇)――黄帝・神農――堯舜――禹となるにつれて時代も格も下がっていくが、「発見」された順番はこの逆である。つまり、「禹」は最も早い西周の時代、「堯舜」は春秋時代、「黄帝」「神農」は戦国時代、「三皇」は秦代、「盤古」は漢代にそれぞれ「出現」している。

(97)顧頡剛「我是怎様編起〈古史辨〉来」『古史辨』第一冊、上海古籍出版社、1981年、P12。

(98)顧頡剛は1923年5月に発表した「与銭玄同先生論古史書」でこの観点を提起したが、同時に次のようにも言っている。「春秋以降、大国が小国を攻め滅ぼすことが多くなっていった。国土は日増しに大きくなり、民族もどんどん併合され、人種観念が弱まるのに比例して統一観念が強まっていった。その結果、たくさんの民族の始祖神話もまた1本の線の上に次第に収れんされていった」。顧頡剛『顧頡剛全集・顧頡剛古史論文集』(巻一)中華書局、2010年、P202。

(99)「東洋史とは主として東方亜細亜に於ける、民族の盛衰、邦国の興亡を明にする一般歴史にして、西洋史と相並んで、世界史の一半を構成する者なり」。桑原隲蔵『中等東洋史』上巻、大日本図書、1898年、P1。

(100) 傅斯年は手紙で次のように述べた。「現在、日本人は、桂〔広西チワン族自治区〕と滇〔雲南省〕はシャン族の故土だとシャム〔タイ〕で宣伝し、失地回復を唆している。また、ミャンマーでは某国人〔イギリス人を指す〕が域内の土司を篭絡し、華人労働者にも接近している。その野望は決して小さいものではない。こうした状況でみだりに『民族』という言葉を使うと分裂の災厄を招く恐れがある。それは決してできない。『中華民族は一つ』、これは信念であると同時に事実だ。辺地の人民にこの意識を貫徹させることがわれわれの急務であり、それこそが正しい計画だ。夷漢が一つであることは漢族の歴史で証明できる。まさにわれわれがそうであるように、胡人の血統がないと断言できる北方人はいないし、百越、黎、苗の血統がないと断言できる南方人もいない。今日の西南は実は千年前の江南、巴、粤耳である。これらは決して曲学ではない」。顧頡剛「中華民族是一個」『益世報・辺疆週刊』第9期、1939年2月9日。

(101) 「わが老友(傅斯年)とまったく同じ考えを、九・一八事変以来ずっと心の内に秘めていた」。顧頡剛「中華民族是一個」『益世報・辺疆週刊』第9期、1939年2月9日。

(102) 顧頡剛「中華民族是一個」『益世報・辺疆週刊』第9期、1939年2月9日。

(103) 費孝通「関於民族問題的討論」『益世報・辺疆週刊』第19期、1939年5月1日。

(104) 「中華民族は早くから十分なnationhood(国族)の域に達しており、その政治的力量は非常に大きい。したがって統一を阻害する武力が少しでも弱まれば、人民は立ち上がり、この摂理に反する分裂状況を打破するだろう。もしそうではなく、長期分立もまた安定性をもつということが仮に成り立つとしたら、中国はとっくにバラバラになって一つの民族の体をなしていないだろう。以上のことは、中華民族としての力が各地方の政府にも長らく存在してきたことを十分に示すものでもある」。顧頡剛「続論〃中華民族是一個〃：答費孝通先生」『益世報・辺疆週刊』第23期、1939年5月29日。

(105)顧頡剛「続論〃中華民族是一個〃：答費孝通先生」『益世報・辺疆週刊』第23期、1939年5月29日。

(106)費孝通「中華民族的多元一体格局」『北京大学学報（哲学社会科学版）』1989年第4期。

(107)費孝通「顧頡剛先生百年祭」『読書』1993年第11期、P5〜P10。

(108)費孝通「顧頡剛先生百年祭」『読書』1993年第11期、P5〜P10。

(109)「韃靼人は自らが征服した国に奴隷制と専制主義をうちたてた。一方、ゴート人はローマ帝国征服後、君主制と自由をいたるところにうちたてた」。モンテスキュー著、張雁深訳『論法的精神』上冊、商務印書館、1959年、P331。

(110)ヘーゲル著、王造時訳『歴史哲学』上海書店出版社、1999年、P111。

(111)孝文帝以前、「中国に主なし、故に正統は東晋と宋にあり」、孝文帝以後、「中国に主あり、すなわち正統は後魏、後周に帰る」

(112)『元経』巻9。

(113)『梵問経』に曰く「すべての観察、思惟は分別である。無分別とはすなわち菩提である」（ツォンカパ『菩提道次第広論』）。一方、禅宗『信心銘』には次の言葉がある。「至道無難、唯嫌揀択（仏に至る道は決して難しいものではなく、ただ揀択（こだわりの心＝分別）を捨てるのみ）」

(114)馬注「清真指南・自序」『清真大典』（第16巻）、P510。

(115)『漢蔵史集』の「蒙古王統」の章に次のように書かれている。「戊寅の年〔1218年〕、チンギス皇帝は齢33、木雅の甲郭王の後に唐の皇帝になった脱孜という名の国王から武力を頼みに王位を奪った。これにより、23年の長きにわたってモンゴル人が漢地大唐の朝政を管掌した」

(116)「浩曰：『臣嘗私論近世人物、不敢不上聞。若王猛之治国、苻堅之管仲也；慕容玄恭之輔少主、慕容暐之霍光也；劉裕之平逆乱、司馬徳宗之曹操也。』」『魏書・崔浩伝』

(117)「及浩幽執、置之檻内、送於城南、使衛士數十人溲其上、呼聲嗷嗷、聞於行路。自宰司之被戮辱、未有如浩者」『魏書・崔浩伝』

(118)『周書・文帝紀』『北史・周本紀上』

(119)王国維『宋元戯曲史』上海古籍出版社、1998年、「自序」

(120)『高僧伝』巻9。

(121)『高僧伝』巻5。

(122)『楽府詩集』には次の『楽府広題』の文言が引用されている。「北斉神武攻周玉壁、士卒死者十四五、神武恚憤疾発。周王下令曰：『高歓鼠子、親犯玉壁。剣弩一発、元凶自斃。』神武聞之、勉坐以安士衆、悉引諸貴、使斛律金唱《勅勒》、神武自和之。其歌本鮮卑語、易為斉言、故其句長短不斉」

著者紹介

潘 岳（はん がく）

1960年4月、江蘇省南京生まれ。歴史学博士。国務院僑務弁公室主任（大臣クラス）。中国共産党第17、19回全国代表大会代表、中国共産党第19期中央委員会候補委員。

東西文明比較互鑑　秦――南北朝時代編
2021年12月15日　第1刷発行

著者	潘岳
訳者	脇屋克仁　魏巍　田潔　四谷寛
監修	王衆一
発行者	劉莉生
発行所	株式会社 アジア太平洋観光社 〒107-0052　東京都港区赤坂6-19-46　☎03-6228-5659
発売	株式会社 星雲社（共同出版社・流通責任出版社） 〒112-0005　東京都文京区水道1-3-30　☎03-3868-3275
印刷	教文堂

ISBN978-4-434-29692-5